Apreciado lector:

Espero que este libro que

tiene en sus manos sea de

su agrado y lo puede reportar

un gran conocimiento a nivel

personal.

Con un cariño inmenso

PILAR VECINA NAVARRO.

Bullying, ciberbullying y sexting

¿Cómo actuar ante una situación de acoso?

José Antonio Molina del Peral
Pilar Vecina Navarro

Bullying, ciberbullying y sexting

¿Cómo actuar ante una situación de acoso?

EDICIONES PIRÁMIDE

COLECCIÓN «PSICOLOGÍA»
Sección: Manuales Prácticos

Director:
Francisco J. Labrador
Catedrático de Modificación de Conducta
de la Universidad Complutense de Madrid

Diseño de cubierta: Anaí Miguel

© José Antonio Molina del Peral
   Pilar Vecina Navarro
© Ediciones Pirámide (Grupo Anaya, S. A.), 2015
Juan Ignacio Luca de Tena, 15. 28027 Madrid
Teléfono: 91 393 89 89
www.edicionespiramide.es
Depósito legal: M. 19.951-2015
ISBN: 978-84-368-3397-3
Printed in Spain

A mi otra familia, un placer que compartamos vivencias: José María, Reme, Miguel, Pili, Marcos y Nurita.

A mis amigos de siempre, gracias por estar y ya son casi 40 años disfrutando de vosotros: Guillermo, Vidal, Tejero, Sena, Pankas y Bolito.

A Isabel M.ª, mi «hermana adoptiva», que siempre me sigues desde la distancia.

J. A.

A Manuel y Pilar, por regalarme las alas para volar.

A Pedro y Carolina, por ayudarme a cazar estrellas.

A Sergio, mi alma gemela, por no dejarme sentir a medias.

P.

Índice

Explicación 11

1. ¿Qué debemos saber del *bullying*? 13
    Conceptualización y características del *bullying* 15
    Tipos de conductas violentas 19
    Fases del *bullying* 23
    Creencias erróneas sobre el *bullying* 28
    Datos sobre el *bullying* 34

2. ¿Qué otros tipos de acoso existen? 41
    Mobbing 43
    Ciberbullying 47
    Grooming 51
    Sexting 54
    Happy slapping 57

3. ¿Qué actores intervienen en el acoso? 61
    Acosador 63
    Acosado 66
    Espectadores 69

4. ¿Qué factores influyen en la aparición del bullying?. 71
    Factores de riesgo 73
    Factores de protección 74

5. ¿Cómo prevenir el acoso? 79

Recomendaciones para menores 81
Recomendaciones para padres 83
Recomendaciones para profesores 87

6. Intervención en los casos de acoso 91

Ámbito familiar 93
Ámbito escolar 98
Ámbito legal 104

7. Estrategias psicológicas de intervención 107

8. Filmografía: el acoso escolar en el cine 127

Bibliografía de consulta 137

Direcciones de interés 139

Explicación

Parecía una consulta más, pero aquel día algo era diferente. Cuando Pablo entró en nuestro centro, tímido a la vez que inquieto, la experiencia clínica nos dijo que detrás de esa carita de ángel, de niño bueno y obediente, había mucho sufrimiento oculto. Pues bien, nuestro ojo clínico no falló. Todavía recordamos la evidente coraza de aquel adolescente que, con tan sólo doce años, desviaba la mirada ante las preguntas. Percibimos el miedo que sentía por su postura retraída, a la vez que rígida, por el titubeo de su voz, todavía a caballo entre la infancia y la adolescencia, además de su innegable mirada perdida. Cuando se estableció con él ese *feeling,* o alianza terapéutica, que decimos los psicólogos para referirnos a la relación de confianza y respeto que debe existir entre paciente y terapeuta, pudimos entrar de lleno en su mundo, en el mundo del maltrato, del acoso, y créannos que, tras escuchar, comprender, analizar y repasar sus experiencias vividas a lo largo de varias sesiones de terapia, llegamos a entender el enorme sufrimiento que esconden este tipo de atentados a la persona.

Desde entonces no hemos dejado de trabajar, tanto en consulta como llevando a cabo cursos de formación, talleres, conferencias e incluso campañas de sensibilización en los centros escolares, dirigidos todos éstos, tanto a alumnos como a padres y docentes.

Queremos que este fenómeno deje de ser una realidad y se convierta en algo que, en el presente, no tenga cabida. Nos negamos a creer que, entre todos, no podamos cambiar esta problemática actual que nos atañe. Y confiamos en que nuestra labor sirva de ayuda para conseguir este objetivo.

Este pensamiento o creencia pone nombre a nuestro libro, con el objetivo último de explicar al lector todo lo relacionado con el acoso y, lo más relevante, cómo poner fin o, simplemente, evitar que aparezcan este tipo de situaciones que condicionan e influyen de forma muy significativa, a la vez que perjudicial, en la moralidad, integridad personal y autoestima de nuestros hijos, alumnos y miembros de la sociedad.

Es imperativo, con este libro, no sólo conocer a fondo este fenómeno tan reincidente en nuestra sociedad, sino abrir camino para facilitar las actuaciones de todos aquellos agentes que contribuyen al desarrollo del bienestar del niño o adolescente en situación de acoso.

Informar al lector de que todos los nombres que encontrará en el libro son ficticios. De igual forma, en las historias detalladas, hemos mezclado unos hechos con otros, con el fin de que sea imposible la identificación de los casos tratados, de forma que no esté comprometida la intimidad de las personas que estuvieron o están inmersas, actualmente, en un proceso terapéutico.

CAPÍTULO 1

¿Qué debemos saber del *bullying*?

En este primer capítulo intentaremos explicar el fenómeno *bullying,* en español, acoso escolar, así como sus características principales, con el fin de ayudar al lector a obtener un conocimiento más amplio de dicho concepto. Además, haremos mención a cada una de las conductas violentas que se pueden dar dentro de este tipo de maltrato.

Puesto que el *bullying* es un proceso, explicaremos las fases por las que pasa un niño o adolescente que está siendo víctima de acoso escolar, así como las variaciones dentro de cada una de ellas. Hablaremos también de los mitos o creencias erróneas que existen en torno a este fenómeno y, por último, ofreceremos una información puntual de la incidencia del *bullying* en nuestro país, teniendo en cuenta los estudios realizados recientemente y estableciendo una comparativa con otras investigaciones de ámbito internacional.

Conceptualización y características del *bullying*

En las siguientes líneas expondremos los criterios a tener en cuenta para considerar una situación de maltrato, y que por ello ha de ser objeto de intervención. Comenzaremos delimitando el concepto de *bullying.*

Bullying es un término que deriva de la lengua inglesa, concretamente de la palabra *bully,* que significa «matón». De este modo, entendiendo el término *bullying* como intimidación, la traducción de este vocablo al español puede definirse como «acoso escolar» o «maltrato entre iguales», siendo descrito como *un comportamiento ofensivo, propiciando maltrato físico, psicológico y verbal que se lleva a cabo entre compañeros de la misma edad o similar.*

Se caracteriza por la intimidación, hostigamiento, coacción o abuso que realiza un alumno contra otro en situación de indefensión, convirtiéndolo en su víctima mediante continuos ataques intimidatorios. Se lleva a cabo de forma repetida y durante un tiempo determinado, pudiendo darse durante días, semanas, meses o incluso años.

Es importante destacar que, como se ha comentado anteriormente, las conductas violentas son emitidas por un compañero, pero hay que tener en cuenta que éste suele ser apoyado o respaldado por otros, pudiendo ser la víctima agredida por una o varias personas.

Y ¿cuál sería la **edad** en la que tiene mayor incidencia este fenómeno? Teniendo en cuenta los estudios realizados, se da más frecuentemente entre los diez y los doce años, al comienzo de la pubertad, aunque afortunadamente disminuye alrededor de los dieciséis. Esto no quiere decir que el acoso escolar no se dé en edades más tempranas o tardías. De hecho, la edad de inicio en la que se puede desarrollar una situación de acoso es a partir de los siete años de edad.

Las **características** principales del acoso escolar son:

• **Indefensión de la víctima.** Ésta se siente acorralada e indefensa ante las continuas conductas intimidatorias no eventuales que sufre, bien porque es físicamente menor que el agresor, o porque adopta una conducta pasiva ante él por miedo a futuras consecuencias.

- **Ausencia de provocación de la víctima.** Ésta es una de las peculiaridades más relevantes a la hora de hablar de una situación de acoso. Dicha característica se resume en una frase: «la víctima nunca es culpable». La persona acosada no provoca al agresor ni lleva a cabo comportamientos ofensivos contra él. Tampoco hay conflictos previos entre ellos que puedan desencadenar una situación de acoso escolar.

- **Desequilibrio entre acosado y acosador.** Se considera al primero más débil que al segundo. Esto quiere decir que existe *desigualdad física* (diferencia en fuerza o edad), *desigualdad psicológica* (el agresor consigue que su víctima adopte un sentimiento de inferioridad y miedo por las conductas violentas recibidas) y *desigualdad social* (popularidad del agresor y como consecuencia aumento de apoyo al mismo).

- **Complicidad, pasividad o ignorancia del entorno.** Estos tres hechos se producen, respectivamente, bien porque las personas de alrededor apoyan y aprueban lo que hace el agresor, adoptando una actitud favorable y partidaria de la intimidación, bien porque tienen miedo a defender a la víctima y que el agresor pueda atentar contra ellos de igual manera, o por último porque las personas de alrededor (compañeros, docentes y padres) no son conscientes de la existencia de acoso escolar en sí, o desconocen los tipos de agresiones y los criterios que pueden considerarse para catalogar a una situación de violencia, como acoso escolar.

- **Persistencia en el tiempo.** Esta situación de desigualdad de poder, y todo lo que ella conlleva, se lleva a cabo de forma sistemática y reiterada, lo que aumenta el malestar de la víctima, puesto que es consciente de que las agresiones intimidatorias volverán a repetirse una y otra vez. Esto influye en el deterioro del ámbito emocional, social, académico y familiar.

Pongamos un ejemplo para clarificar las características del maltrato entre iguales. Éstas se expondrán en diferente orden a como han sido explicadas anteriormente, ya que se narran los hechos tal y como el paciente los expuso en su momento.

Pablo, el chico al que se ha hecho referencia, había llegado nuevo al instituto. Podría describirse como un chico amable, educado y con altas cualidades para el deporte. Y esto es lo que narró cuando se decidió a explicar en consulta un día normal de su vida en el instituto: *Yo jamás insulté o busqué enfrentamientos con nadie* (**ausencia de provocación de la víctima**), *sólo quería ser amable, puesto que era nuevo en el centro y tenía ganas de hacer amigos y empezar de cero mi nueva vida. El tercer día de entrar al «insti», en la cancha de baloncesto, fui tirado varias veces al suelo, agarrado de la camiseta, pisado y pellizcado por Hugo, el chico que me agredía, mi continua pesadilla. Parecía el más querido y respetado de la clase* (**desigualdad de poder social**), *y no quería enfrentarme a él* (**indefensión de la víctima**), *pues supuse que si lo hacía, se me haría más difícil hacer amigos en clase. En un día podía llamarme «pringao» más de diez veces, y los tres amigos con los que siempre iba se reían e incluso se animaban a insultar y a colaborar con él en los continuos ataques que recibía* (**complicidad**); *otros oían cómo me insultaban mientras me daban collejas o tiraban mi cartera al suelo, pero no hacían nada* (**pasividad del entorno**), *y muchos otros no sabían lo que estaba pasándome, algo que pudo ser por mi culpa, ya que yo siempre lo negaba restándole importancia, calificándolo como «juego»* (**ignorancia del entorno**). *Esto pasaba cada día. Todos los días él* *tenía algo preparado para mí* (**persistente en el tiempo**). *Y así durante cuatro largos y duros meses...*

¿Y cuáles son los **lugares** donde el agresor actúa? El escenario principal donde suele desarrollarse el acto de acoso es en el centro educativo, ya sea colegio o instituto. Dentro de este entorno, el agresor o agresores actúan en diferentes escenarios, siempre fuera de la supervisión del profesorado o de cualquier adulto. Es por esto que los aseos, las aulas sin presencia del docente, el patio, los pasillos en el cambio de clase, el gimnasio, los vestuarios, momentos de entrada y salida al centro educativo, el autobús escolar, incluso el barrio donde reside la víctima, son lugares «calientes» que suponen una situación de riesgo para el acosado.

Resumiendo, puede considerarse que el fenómeno *bullying,* constituye una violación del derecho que posee el alumno a estar seguro, tranquilo y protegido en la escuela y a no ser objeto de agresión de forma intencionada y recurrente dentro de su entorno educativo.

Tipos de conductas violentas

En primer lugar haremos referencia a la definición de violencia, según la Organización Mundial de la Salud (OMS, 2003). Dicho concepto es definido como «El uso deliberado de la fuerza física o el poder, ya sea en grado de amenaza o efectivo, contra uno mismo, otra persona o un grupo o comunidad que cause o que tenga muchas probabilidades de causar lesiones, muerte, daños psicológicos, trastornos del desarrollo o privaciones».

Implica amenaza de uso, o utilización de la violencia física o psicológica con intención de hacer daño de manera recurrente y como una forma de resolver conflictos. No es innata a los seres humanos, es decir, las personas no nacen siendo violentas, sino que aprenden a serlo en función del entorno en el que se desenvuelven o las experiencias vividas. No es igual a la agresividad, que es una condición innata de la materia viva y que en determinadas circunstancias toma características defensivas.

En el tema que nos atañe, se diferencian varios tipos de conductas violentas que utiliza el agresor para minar o disminuir el bienestar y la calidad de vida de la víctima. Dichas conductas pueden clasificarse en: verbal, psicológica, física, sexual, social y grupal.

Conducta violenta verbal

Se lleva a cabo a través del hostigamiento por medio de la palabra. El agresor insulta, pone motes, chantajea y se burla dejando al agredido en ridículo, le menosprecia por su vestimenta, resalta algún aspecto físico o actuación para intentar que sea el «hazmerreír» de la clase. Este tipo de agresión verbal puede darse mediante las nuevas tecnologías, tomando el nombre de *ciberbullying,* asunto que trataremos en el siguiente capítulo. Infundir rumores, mentiras o levantar falsos testimonios sobre la víctima, también se incluye dentro de este tipo de violencia, pero de una forma indirecta, pues el que recibe la información no es directamente la víctima.

Conducta violenta física

Con este tipo de violencia se causa daño físico, propinando el agresor puñetazos, patadas, pinchazos, etc., atentando de forma directa al cuerpo del agredido y poniendo en peligro su integridad física.

Cabe destacar que algunas de las investigaciones realizadas acerca de este tipo de violencia en entornos escolares corroboran que suele darse más en educación primaria que en secundaria. El motivo proviene de que al ser la violencia física más llamativa, existe mayor probabilidad de que el agresor sea visto por otras personas y obtener algún tipo de reprimenda o castigo.

En adolescentes, el pensamiento consecuencial, la capacidad de prever las consecuencias de lo que se hace o se dice, está desarrollado, y es por lo que optan por otro tipo de violencia. Esto último no quiere decir que el adolescente agresor no utilice la fuerza física para intimidar a su víctima.

Conducta violenta social

Consiste, primordialmente, en la exclusión, bloqueo o aislamiento del individuo en relación al grupo, fomentando la soledad de la víctima y reduciendo los apoyos con los que previamente contaba.

También se considera a la víctima dentro del grupo, pero atacando su estatus, ninguneándolo y dejándolo en último lugar, restringiendo su libertad de expresión, sin oportunidad de exponer su punto de vista, ya que será desvalorizado y ridiculizado. Dentro de este tipo de violencia se incluye la racial o religiosa. Por ejemplo, la persona puede ser acosada por el simple hecho de llevar un pañuelo en la cabeza o tener un color de piel diferente.

Conducta violenta psicológica

Las conductas violentas mencionadas anteriormente afectan de manera directa al componente psicológico y emocional de la persona, en mayor o menor medida, ya que todas tienen como fin humillar, ejercer control sobre la víctima, produciéndole miedo, angustia y sentimiento de amenaza constante, reduciendo su seguridad y la capacidad de defenderse y protegerse.

Además, el agresor puede jugar con los sentimientos del acosado haciéndose pasar por su amigo, prometiéndole que jamás volverá a hacerle «nada malo», usando el victimismo mediante el chantaje, con el fin de conseguir dinero, deberes o favores. En este caso, llega a producirse, por parte de la víctima, una gran dependencia emocional hacia su agresor.

En el siguiente cuadro mostramos la clasificación de conductas violentas que encontramos en una situación de acoso escolar, así como algunas de las consecuencias más destacadas que se generan en el acosado.

Tipo de conductas violentas	Consecuencias en el acosado
Conducta violenta verbal	Motes, insultos, apodos, chantajes, etiquetas, burlas, palabras de menosprecio, risas sobre aspectos diferentes.
Conducta violenta física	Puñetazos, pinchazos, pellizcos, puntapiés, patadas, rodillazos, manotazos, escupitajos, golpes con objetos.
Conducta violenta social	*Fuera del grupo:* Exclusión, bloqueo social, aislamiento. *Dentro del grupo:* Restricción de libertad de expresión, menosprecio, desvalorización del punto de vista, nula opción para tomar decisiones.
Conducta violenta psicológica	Victimismo, chantaje, humillaciones, amenazas, demandas de favores, juego con debilidades y sentimientos de la víctima, reclusión o encierro.

• Angustia • Ansiedad • Miedo • Sentimiento de amenaza • Absentismo escolar	• Seguridad • Autoestima • Capacidad de defensa • Protección • Control sobre uno mismo

Fases del *bullying*

Según nuestra experiencia, las fases no son siempre tan claras, al igual que no todas las víctimas pasan por cada una de ellas, ya que cada proceso es diferente y único. Se han dado casos en los que algunos acosados han sufrido conductas violentas de dos fases a la vez, otros que no han pasado por alguna fase concreta y otros que, directamente, no han llegado a la última porque han sido ayudados antes de finalizar el proceso. Tampoco hay tiempo determinado para cada una de ellas, pero sí características que nos ayudan a evaluar y valorar en qué parte del proceso se encuentra la víctima, cuál ha sido su situación pasada y actual y cómo se podrá prevenir para que no evolucione a etapas posteriores.

La primera fase abarcaría, **desde los «motes inocentes» al estigma social.** Lo que ocurre en esta fase es el inicio del proceso de acoso escolar que vendrá posteriormente. En un primer momento, todo aparenta ser un juego entre compañeros, sin consecuencias, hasta para la propia víctima. Con esto no queremos decir que cada vez que un niño ponga un «mote» a otro significa que existe acoso escolar, pero sí que es importante estar atento a lo que precede y sigue a dichos apodos.

De las investigaciones se deduce que el hecho desencadenante del maltrato puede ser puntual y, en un principio, carecer de importancia. Algunos ejemplos significativos son: destacar, o no, en alguna materia, obtener una buena nota en un examen, cometer algún error puntual cuando sus compañeros confiaban en que obtendría éxito, fallar un gol, ser inmigrante, orinarse en clase, llevarse bien con un profesor, incorporarse tarde al curso escolar, tener alguna característica física diferente a los demás... Podríamos hacer una lista interminable de factores desencadenantes, pues cualquier comportamiento, acción, o mínimo detalle insignificante, será válido para convertirse en el centro de la diana del acosador.

Lo que parece un mero entretenimiento sin más, se empieza a convertir en un maltrato sutil, en el que las expectativas de la víctima se centran en no ser el blanco de otro ataque.

María, en una de las sesiones refería: *esperaba que pasase pronto, aunque tenía miedo a lo que pudiera suceder al día siguiente. Rezaba todas las noches para que aquella chica se olvidase de mi existencia.* Esta paciente tenía 11 años cuando empezó a ser víctima de *bullying,* y por el simple hecho de ser de nacionalidad colombiana y tener un habla diferente recibía insultos como «sudaca o panchita».

La segunda fase la denominaremos de **confusión, acoso y derribo.** En ésta es en la que mayor hostigamiento se produce hacia el acosado.

Ahora el acosador ha seleccionado a su víctima y tiene la intención de propiciarle daño sistemáticamente mediante continuos insultos, chantajes, bromas, humillaciones públicas, amenazas, aislamiento, tareas forzadas, rechazos explícitos, abusos, agresiones físicas, etc. En esta fase se determinará el tipo de *bullying* que sufrirá la víctima, ya sea verbal, físico, social o psicológico, cada uno determinado por las conductas violentas descritas en el apartado anterior.

Cabe destacar que, como se ha comentado, se pueden dar varias conductas violentas a la vez, por lo que describiremos el tipo de *bullying* en función de la gravedad e intensidad de un tipo de conducta violenta u otra. Dichas conductas se producen de manera pública, delante de los compañeros, no de adultos, con el fin de hacer más daño e intentar conseguir aliados que se unan al «juego».

Ante esta situación la víctima se siente culpable y responsable de lo que sucede, no entiende por qué le está pasando esto, llegando a creer que se merece lo que está viviendo, viéndose como alguien que no le importa a nadie. Las sensaciones de impotencia y soledad del niño, o adolescente, se incrementan.

A pesar de ello, en esta fase el acosado todavía es capaz de convivir en el aula con su acosador.

La **aparición de daños psicológicos graves,** acompañados de sintomatología física, sería la tercera fase que conforma el proceso.

Seguidamente presentamos los cambios que pueden originarse en el acosado.

Cambios físicos/ somáticos	• Sudoraciones. • Llanto frecuente. • Sensación de ahogo. • Opresión en el pecho. • Trastornos gastrointestinales (vómitos, diarreas o estreñimiento). • Pérdida de peso. • Alteraciones en el sueño. • Dolores de cabeza, estómago, o del cuerpo en general.
Cambios psicológicos	• Sentimiento de culpabilidad e inseguridad. • Disminución de autoconcepto (cómo se describe a sí mismo) y autoestima (valoración que hace de su persona). • Baja capacidad para autorregular sus emociones y conductas. • Alteraciones conductuales caracterizadas por excesiva agresividad. • Ataques de pánico. • Miedo a ir al centro escolar. • Cambios bruscos en su humor o estado de ánimo. • Pensamientos de suicidio. • Trastornos depresivos, ansiedad y de la alimentación (anorexia o bulimia).

Cambios sociales	• Aislamiento y retraimiento social. • Bajo interés en el establecimiento de relaciones. • Desinterés o resistencia a salir de casa. • Ausencia de amigos o de personas de confianza. • Déficits en habilidades sociales.
Modificación de hábitos	• Preferencia por quedarse en casa antes que ir al colegio o instituto. • Desinterés por las actividades extraescolares y de ocio. • Modificación en el tiempo dedicado al estudio. • Desajustes en los hábitos alimentarios (modo de comer y cantidad ingerida). • Disminución del rendimiento académico.

Es importante destacar que la segunda y la tercera fase están íntimamente relacionadas; tanto es así que, en ocasiones, se considera una misma fase.

En la cuarta y última fase se produce el **desenlace final del proceso.** Éste ocurre de varias maneras.

Una vez que el acosado «explota» porque ya no puede soportar más la presión de la situación que está viviendo, actúa de diversas formas: una de ellas es el ataque hacia su víctima, se enfrenta a él sin importarle las consecuencias, puesto que lo considera «la batalla final», ya sea para ganar o perder esa lucha en la que nunca se decidió a defenderse por miedo, pero ahora eso no le importa. Se suelen desencadenar pensamientos recurrentes para hacer daño a su agresor, incluso se llega a especular con el uso de armas u objetos que atenten gravemente contra la integridad física del acosador.

Otra de las opciones que considera la víctima es la «violencia autoinfligida», lo que supone hacerse daño a sí mismo en lugar de a su agresor. Dicho daño se manifiesta en cortes en las muñecas o por otras partes del cuerpo, propiciándose golpes a sí mismo, etc.

En casos extremos, pero de los que desgraciadamente hemos sido conocedores en más de una ocasión por los medios de comunicación, el suicidio es otra de las «salidas» de la víctima. Así, intenta quitarse la vida, puesto que su percepción de la realidad es que no le importa a nadie y tampoco se quiere a sí mismo por las continuas vejaciones sufridas. Se siente desbordado e incapaz de sobrellevar la situación.

Sobre esto nos gustaría hacer una reflexión, con el fin de establecer qué relación existe entre el fenómeno *bullying* y suicidio.

Hay datos realmente alarmantes alrededor del mundo sobre las consecuencias fatídicas que han experimentado muchas víctimas del *bullying,* llegando los casos más extremos al suicidio. Pero ¿qué pensamientos, sentimientos o emociones son los que tiene una persona que sufre *bullying* y que le «invitan» al suicidio?

La persona que piensa en suicidarse sufre un terrible malestar emocional. Se siente desbordada, desesperada, atormentada, insignificante y sus pensamientos anticipatorios acerca del futuro son negativos. Piensa que nada va a cambiar y que será imposible superar la situación que está viviendo. Se siente sola, sin apoyo y desea escapar de esos pensamientos y sentimientos que le desbordan y que le hacen más difícil el día a día.

Algunas de las personas que piensan en quitarse la vida están sumergidas en un «pozo emocional», el de la depresión. Las personas deprimidas no son conscientes de que el suicidio es una «solución» permanente a un problema temporal. Así, el estado depresivo impide al individuo pensar de otro modo alternativo a como piensa en el presente. Existe en él un estilo cognitivo distorsionado, que afecta a la manera de entender e interpretar el mundo, el futuro y nuestro propio yo, centrándose en los aspectos negativos de su vida y dejando enterrados los positivos; esto es lo que da nombre a uno de los síntomas más importantes de la depresión: «la memoria selectiva». Ésta provoca un profundo sufrimiento emocional, cuya única vía posible de escape, según interpreta, es el suicidio.

También nos gustaría hacer referencia a los intentos de suicidio. Hay ocasiones en las que este intento de quitarse la vida no es más que una señal de alarma o llamada de atención, que utiliza la persona para demandar ayuda o para expresar lo que siente, al no saber hacerlo de otra manera o, simplemente, no atreverse. Aun así, no debemos caer en el error de restarle importancia.

Creencias erróneas sobre el *bullying*

Existen una serie de ideas falsas o erróneas, o lo que más bien conocemos como mitos, es decir, creencias que se consideran verdaderas a pesar de no serlo.

A continuación expondremos algunas de las más significativas, las cuales guardan estrecha relación con el fenómeno que venimos estudiando y que entorpecen una buena detección o intervención de un posible caso de maltrato escolar.

Mito 1. El *bullying* es considerado una enfermedad o es algo que no existe

Dicho fenómeno no puede diagnosticarse como una enfermedad médica porque no existe una causa orgánica que sea el factor desencadenante de que un niño sea agredido o agreda. Además, sí es algo que existe y no debe subestimarse, y se debe estar alerta para actuar en consecuencia.

Mito 2. El *bullying* es un simple juego entre compañeros o las típicas bromas entre niños. No hay que exagerar

Esta creencia resta importancia a lo que está sucediendo, a la vez que justifica la violencia entre iguales. Jamás debería «tomarse a la ligera», ya que lo que para un adulto aparenta ser un juego, para la víctima puede ser «el camino al abismo».

Mito 3. El *bullying* ha existido siempre, pero es algo imposible de cambiar

El que su presencia sea remota no es un hecho cuestionable, lo relevante es que sí hay posibilidad de cambiarlo. Esta creencia falsa implica una actitud pasiva a la hora de intentar detectar, prevenir o intervenir directamente en casos de acoso escolar.

Mito 4. Las situaciones de violencia escolar ayudan al niño a madurar y forman parte de su crecimiento y desarrollo personal

El hecho de superar dificultades a lo largo de la vida puede ayudar a crecer personalmente e incluso convertir a la persona en resiliente (capacidad de afrontar las adversidades, aprendiendo de ellas y valorándolas como positivas por el crecimiento personal que supone). Teniendo en cuenta el contexto y la edad, lo anterior no suele cumplirse, puesto que, en algunos casos, la violencia es extrema y repercute en la víctima dejándole graves secuelas psicológicas y, en los casos más graves, llevando al suicidio o atentando contra otros compañeros.

Es difícil que si una persona es maltratada desarrolle una personalidad estable y equilibrada.

Mito 5. El maltrato lo lleva a cabo exclusivamente el sexo masculino

Este pensamiento tiende a ignorar el maltrato cometido entre las féminas.

Numerosos estudios han confirmado que ambos sexos son tanto víctimas como agresores. Es importante destacar que difieren en cuanto al tipo de violencia llevada a cabo. En el sexo masculino predominan las conductas violentas físicas, en contra de las conductas violentas emocionales o verbales, las cuales son más típicas del femenino.

Mito 6. Los acosadores son niños o adolescentes con problemas familiares graves y provienen de barrios marginales

Cualquier persona, independientemente de la clase social o centro educativo al que pertenezca, está sujeta a ser tanto acosado como acosador. Debemos fijarnos en otras variables, ya que hay un amplio espectro de características que conforman los perfiles de acosador y acosado.

Mito 7. No hay mejor defensa que un buen ataque

En numerosas ocasiones, si el niño refiere que está siendo molestado por otro compañero, lo que se le sugiere es que haga lo mismo que le hacen para no quedar por debajo de nadie. Con esta actitud promovemos no sólo el uso de la violencia y su aceptación, sino que el agresor justifique sus futuras conductas violentas a la hora de volver a maltratar a la víctima.

Mito 8. Ante el acoso escolar, la mejor opción es mantenerse al margen y no «chivarse» a nadie

En este mito partimos de la base de que los testigos suelen ser niños y adolescentes que piensan que si se entrometen, defienden a la víctima o simplemente lo comunican a algún adulto, podrán convertirse en el futuro objetivo del agresor. Es por este motivo por el que hay que educar a nuestros hijos y alumnos en el respeto a los demás y en una convivencia democrática basada en la igualdad.

El ser testigo de una situación de acoso y no denunciar termina convirtiendo a la persona en cómplice.

Mito 9. Los roles de agresor y agredido son para siempre

Esta creencia también es falsa, puesto que una persona que haya sido víctima de acoso puede pasar a convertirse en agresor, y viceversa. Existen numerosos casos en los que el agredido adquiere el papel de agresor para hacer a otra persona lo que él mismo ha sufrido. No obstante, esto también suele ser un mecanismo de defensa para no volver a vivir otra situación similar de nuevo. Del mismo modo, el agresor puede pasar a ser víctima directa de otro *bully* (agresor) o de su anterior víctima, a la cual le produjo algún tipo de daño y, de alguna manera, quiere vengarse por lo ocurrido.

Mito 10. Todo caso de acoso escolar acaba en suicidio o en abandono escolar

Sí que es cierto que ha habido casos en los que la persona acosada no podía, o no sabía seguir haciendo frente a esa situación y decide quitarse la vida para huir de las continuas intimidaciones que sufría. Igualmente, conocemos otros casos en los que se considera que la mejor forma de evitar la situación es dejando de ir al centro escolar, de modo que ese escape disminuya el malestar. De cualquier forma, no debemos generalizar y creer que sólo existen estas dos salidas, ya que la prevención y la detección cobran especial relevancia en este punto.

Mito 11. El agresor no necesita ayuda

Hay que buscar cuáles son las razones por las que el acosador lleva a cabo ese tipo de conductas violentas. En algunas ocasiones, tras realizar una evaluación psicológica exhaustiva, se detecta que hay falta de habilidades sociales, déficits en habilidades asertivas (saber decir no, respetando la opinión y los derechos de los demás), falta de empatía (dificultad para ponerse en el lugar del otro), oposición a acatar límites o normas, etc. En cualquier caso, dichas deficiencias deberían ser objeto de tratamiento.

Mito 12. El agresor tan sólo es un niño y no se le debe responsabilizar de sus actos

Los niños y los adolescentes agresores saben perfectamente lo que hacen, cómo, dónde, contra quién y qué objetivo persiguen, por lo que se les debe hacer responsables de sus hechos y, sin duda, actuar en consecuencia.

Mito 13. Si mi hijo fuese maltratado, me lo diría

Nadie puede estar seguro de que los padres son conocedores de todo lo que les acontece a sus hijos, aunque es lógico pensar que si existe en casa un clima de confianza, respeto y apoyo familiar, hay más probabilidad de que si los hijos están siendo víctima de maltrato, confíen en sus progenitores para contárselo. Pues bien, pongámonos en la piel de la víctima por un momento y pensemos que tiene miedo a las consecuencias que ocasione haberlo dicho y que, incluso, llega a sentirse responsable y merecedor de lo que le pasa.

Mito 14. Si no hay agresión física, no se considera maltrato

Sabemos, tal y como se ha explicado anteriormente, que no sólo existe agresión física, sino que también hay conductas violentas, como la verbal, psicológica, social o grupal. Y a todas y cada una de ellas hay que darles importancia, ya que todas ocasionan graves daños en el acosado.

Mito 15. Si ocultamos el problema, no dañamos la imagen de nuestro centro

Hay colegios o institutos que tienden a ocultar el problema, o esperan a que pase por el simple hecho de mantener el prestigio del centro, o para que no se les considere un entorno conflictivo, en el cual se imparte una educación nefasta. Los profesionales que trabajan en estos centros no son conscientes de que si previenen, detectan e intervienen casos de este tipo, darán una imagen de centro educativo comprometido con los alumnos, proporcionándoles, no sólo un buen bagaje cultural, sino una educación de calidad que tiene en cuenta los valores personales, mejorando el desarrollo integral de la persona.

Mito 16. Los docentes saben detectar y hacer frente al acoso escolar

En muchas ocasiones se piensa que los docentes han obtenido formación específica en su carrera de un fenómeno tan importante y recurrente que, asiduamente, nos encontramos en los centros educativos, pero esto no suele ser así. Sí que es cierto que numerosos profesionales de la enseñanza se forman acerca de este tema, y nosotros podemos dar constancia de ello a través de los programas de intervención que impartimos a este colectivo.

Entendemos que deben ser conocedores de todo y cuanto acarrea este tema. Ellos son los que más tiempo pasan en el centro con los alumnos, conocen cómo son, cómo se desenvuelven y son los primeros que pueden detectar que algo está pasando.

Mito 17. Los docentes jamás son conocedores de lo que sucede

Sabemos que los agresores suelen actuar lejos de las personas adultas, pero por el conocimiento de los alumnos y el funcionamiento interno de un grupo, se puede intuir que algo está ocurriendo. Sí que es cierto que, como decíamos en el punto anterior, se tiende a minimizar el problema o a esconderlo, bien por la imagen del centro, o por falta de recursos para intervenir de una manera eficaz.

Muchas de estas falsas creencias ayudan a no erradicar el problema por la ausencia de búsqueda de soluciones, apoyando las actuaciones del agresor y fomentando el aumento de sentimiento de culpa e inseguridad del agredido. De esta manera, lo que sucede en el caso de alargase en el tiempo, son consecuencias devastadoras o daños psicológicos más graves.

Datos sobre el *bullying*

Los primeros estudios que se realizaron sobre el *bullying* datan de los países escandinavos, cuando tres víctimas, a finales de los años sesenta del siglo pasado, se suicidaron dejando constancia de cómo se sentían antes de quitarse la vida y haciendo referencia al malestar vivido ante las continuas intimidaciones sufridas en su centro escolar. Obviamente, estos hechos produjeron una gran alarma social, teniendo suficiente peso para «tomar cartas en el asunto». Por este motivo, los agentes educadores promovieron estudios de investigación en los centros educativos para obtener datos objetivos de la prevalencia del fenómeno y, de este modo, intervenir sobre ello.

Nos gustaría hacer especial referencia al noruego Dan Olweus, profesor de la Universidad de Bergen, que fue el primero en realizar un estudio longitudinal complejo y extenso, en 1970, sobre las conductas del *bullying*. Éste realizó su estudio con un total de 1.000 estudiantes de edades comprendidas entre 13 y 15 años, clasificándolos en: agresores, víctimas y bien adaptados, en función de las consideraciones de sus profesores. Dicho estudio despertó el interés del Ministerio de Educación noruego, el cual llevó a cabo una campaña de prevención en las escuelas del país. Las conclusiones más importantes derivadas del estudio fueron:

- Variables como el negativismo, indiferencia y carencia de afecto, y por otra parte, la permisividad, excesiva tolerancia, etc., tienen gran incidencia en que el niño desarrolle una elevada agresividad hacia su entorno. Aunque en menor medida, igualmente se detectó que el uso de una disciplina basada en el castigo también contribuye a desencadenar conductas violentas u hostiles por parte del niño.
- No existe relación significativa entre la agresividad y el estatus socioeconómico que tenga la familia del agresor. El tamaño de la escuela, el sitio donde está situada la mis-

ma y la capacidad intelectual tampoco mostraron correlación con el nivel de conductas agresivas.

- Características físicas determinadas, como, por ejemplo, la fortaleza física, sí eran elementos diferenciadores entre acosador y acosado.
- Se detectaron diferencias en el carácter entre agresores, a los cuales describió como violentos, autosuficientes y con un bajo nivel de autoestima, mientras que los agredidos no son agresivos ni violentos, pero sí muestran un alto nivel de ansiedad e inseguridad.

Otro estudio destacable a nivel internacional, en el que fueron partícipes 32 países, fue el realizado en el año 2004 por la Organización Mundial de la Salud (OMS), el cual reveló, respecto a nuestro país, que un 24,8 % de los niños españoles de edades comprendidas entre 11 y 18 años sufrían acoso escolar. A pesar de ser un índice inferior a los obtenidos en comparación con países como Estados Unidos, Francia, Reino Unido o Alemania, debe considerarse significativo y actuar teniendo en cuenta la importancia que merece.

Seguidamente, nos centraremos en los resultados obtenidos en investigaciones específicas realizadas en España.

Consensuando las diversas investigaciones, la edad donde el *bullying* suele cobrar mayor fuerza es a partir de los 12-13 años, que coincide con el inicio de la adolescencia, disminuyendo progresivamente hasta los 16 años. Además también se estipula la edad de 7 años como probable edad de inicio del fenómeno.

La primera investigación sobre violencia entre compañeros de escuela realizada en España data del año 2000 y fue realizada por el *Defensor del Pueblo*. Dicha investigación disponía de una muestra de 3.000 estudiantes que pertenecían a 300 colegios públicos, privados y concertados. Las conclusiones de dicha investigación fueron las siguientes:

- Se detectó que el número de agresores era mayor que el de víctimas.
- El acoso escolar tenía mayor incidencia en el primer ciclo de la Educación Secundaria Obligatoria (ESO), que comprende 1.º y 2.º, y descendía paulatinamente hasta 4.º de la ESO, donde los alumnos alcanzan la edad de 16 años.
- Se establece una diferenciación de conductas violentas en cuanto al sexo. Por parte de los varones, eran más frecuentes las conductas de agresión verbal y física, mientras por parte de las mujeres destacaban en frecuencia conductas de exclusión e intimidación, más relacionadas con el maltrato psicológico.
- Las edades de máxima incidencia serían los 7 y entre los 10 y los 12 años.

En el cuadro de la página siguiente se exponen las conductas abusivas que se tuvieron en cuenta en la investigación y los porcentajes obtenidos al analizar los resultados.

Piñuel y Oñate, profesores españoles estudiosos del tema, realizaron el *Informe Cisneros X* sobre violencia y acoso escolar en nuestro país, en el año 2006. Algunos de los datos más significativos de dicho informe son:

- Se revela que un 23,4 % de los alumnos matriculados entre segundo de Primaria y primero de Bachillerato eran víctimas de *bullying*. Un 53,6 % de las víctimas de *bullying* acaban padeciendo síntomas de estrés postraumático.

Conducta abusiva	Porcentajes
Me insultan	33,8
Hablan mal de mí	31,2
Me ponen motes	30,1
Me esconden cosas	20,0
Me ignoran	14,0
No me dejan participar	8,9
Me amenazan para meterme miedo	8,5
Me roban cosas	6,4
Me rompen cosas	4,1
Me pegan	4,1
Me acosan sexualmente	1,7
Me obligan a hacer cosas	0,7
Me amenazan con armas	0,6

- El porcentaje de víctimas va disminuyendo según aumentan en edad. Así, pasamos de un 43,66% de víctimas en tercero de Primaria a sólo un 10% en la ESO. Estos datos parecen demostrar que la escuela ejerce una función socializadora que va mermando las actitudes violentas de los alumnos.
- Un 55,5% de los niños acosados reconocieron que ellos también habían acosado a otros compañeros en alguna ocasión.
- Solamente un 4% de los niños acosados admiten haber recibido agresiones físicas (collejas, puñetazos y patadas), y un 3,52% refieren que se meten con ellos hasta hacerles llorar.

Teniendo en cuenta estos datos tan reveladores, este fenómeno ha de considerarse una realidad, y un problema lo bastante frecuente en nuestros centros educativos como para tomar conciencia de su importancia y no «mirar para otro lado».

CAPÍTULO 2

¿Qué otros tipos de acoso existen?

En el presente capítulo hablaremos de los diferentes fenómenos de violencia en el ámbito de las nuevas tecnologías. Se trata de un tema novedoso a la vez que importante, ya que se está acelerando su prevalencia debido al asentamiento masivo de dichas tecnologías. No obstante, trataremos otro de los fenómenos de acoso más actuales en el ámbito laboral, *mobbing*.

Describiremos el concepto, las fases y las causas de cada uno de ellos. Además, ofreceremos al lector algunos ejemplos sobre casos concretos de algunos de los pacientes que hemos tratado, o que están actualmente en tratamiento.

Esperamos que se tome conciencia de la relevancia del tema, puesto que no se trata de una moda puntual y pasajera, sino de algo que cada vez toma más fuerza, exigiendo un acercamiento a su conocimiento y respuestas eficaces para hacerle frente.

Mobbing

Este vocablo anglosajón es traducido al español como «acoso moral» o «abuso emocional». Se define como la intimidación dirigida hacia un individuo, por parte de una persona, o un grupo, con el fin de destruirlo personal o profesionalmente, dándose en el entorno laboral.

Cuando la víctima es acosada en el trabajo, el abuso emocional que se da se lleva a cabo mediante humillaciones, aislamiento, desprestigio o insinuaciones, con el objetivo último de culpar a la persona acosada acerca de unos hechos determinados. Para que sea considerado acoso, estas actuaciones deben producirse de forma habitual.

Los actores de dichas conductas violentas son superiores o subordinados (también existe el *mobbing* horizontal, es decir, entre compañeros con el mismo nivel jerárquico), que desean que la persona, a la cual van dirigidas las vejaciones, abandone el puesto de trabajo.

El líder es la persona capaz de crear alianza con otros miembros para conseguir su meta, de modo que actúen todos de forma permanente y metódica a la hora de conjurarse contra la víctima.

Las fases que conforman el proceso de *mobbing* son:

- **Enfrentamiento:** es inevitable que, cuando nos encontramos con grupos, surjan diferencias de intereses o discordancia en cuanto a objetivos prioritarios a conseguir. De esta forma, cuando confluyen dos opiniones dispares y surgen desacuerdos, los protagonistas de las acciones tienen dos opciones a elegir, dialogar de forma positiva, intentando llegar a una solución compartida o entrar en un combate en el que uno toma las riendas y se convierte en agresor sutil del otro.
- **Acoso moral:** es la más larga en el tiempo. En esta fase se desencadena el comportamiento premeditado mediante una serie de estrategias perversas para anular a la víctima y aislarla socialmente. El tiempo de estas accio-

nes es prolongado y metódico. Llegado a este punto, la víctima no es capaz de creer lo que le está pasando y utiliza estrategias de evitación, como la negación o la pasividad.

- **Mediación:** en esta fase, la dirección de la empresa es conocedora de lo que está ocurriendo. Tras saber del tema, habitualmente se lleva a cabo una labor de investigación acerca del conflicto que acontece y, en la mayoría de las ocasiones, se recomienda al acosado que cambie de puesto de trabajo.

- **Aislamiento y salida de la vida laboral:** los trabajadores suelen solicitar cambios de puesto de trabajo, pero no siempre se les da esa oportunidad y la persona sigue resistiendo en la misma posición que antes. Así, este tipo de «aguante psicológico» tiene repercusiones realmente negativas en la salud mental de la víctima. Por este motivo, la mayoría de acosados acaban dejando su puesto de trabajo al verse incapaces de seguir tolerando esa situación. Generalmente, estas personas pasan largas temporadas de baja.

Las causas principales por las que se da este fenómeno son: envidia, celos y miedo a perder la posición de poder o reconocimiento que se tiene ante una persona competente y valorada, capaz de hacer las cosas igual de bien o mejor que el acosador.

Dado que los puestos superiores o los mismos compañeros tienen miedo a perder su estatus, es por esta razón por la que hacen el «vacío», esconden información, e incluso limitan las funciones de las personas a las que temen.

Queremos ofrecer al lector uno de los testimonios que hemos tratado en consulta sobre una persona que sufría *mobbing*.

Julio es un ingeniero químico que trabajaba en una importante multinacional. Vino a nuestra consulta asegurando que estaba expuesto a muchas situaciones estresantes en el trabajo. Cuando le preguntamos qué quería conseguir con nuestra ayuda, nos dijo que le gustaría saber manejar situaciones críticas e intentar trabajar de una manera más eficaz.

Cuando ahondamos en el problema, durante la valoración inicial, detectamos que este paciente no estaba sufriendo estrés por sobrecarga de trabajo, sino que existía un acoso psicológico constante por parte de otro ingeniero de su mismo departamento. Éste, al principio de conocer a Julio, se mostró muy agradable, ofreciéndole ayuda en aquello que necesitase. Nuestro paciente se adaptó pronto a la empresa y mantenía buena relación con los diferentes responsables y compañeros de los distintos departamentos. Era capaz de entregar los proyectos a tiempo y resolver las dificultades encontradas de una manera eficaz y eficiente. Así, se puede entender que Julio tenía competencia suficiente para trabajar en la empresa, tanto a nivel personal como profesional. Esto último pudo despertar envidia en su compañero de departamento.

Pondremos varios ejemplos. Uno de los más significativos, que nos ayudó a detectar rápidamente lo que pasaba en este caso, fue cuando ambos ingenieros tuvieron que presentar un proyecto importante ante los directores de los diferentes sectores. Víctor, que era como se llamaba el acosador, le pidió el día de antes que le enviara la parte del proyecto y la presentación que ambos deberían ofrecer al día siguiente para guardarlo conjuntamente en el ordenador de la empresa. El día de la reunión, nuestro paciente detectó que, en su parte, había errores que desmontaban el proyecto, por lo que constató que alguien lo había cambiado. No le quedó otra salida que pedir disculpas delante de todos los directivos y volver a hacerlo nuevamente.

A partir del anterior episodio, los compañeros actuaban como si él no estuviera y el jefe parecía que, poco a poco, iba quitándole funciones que eran de su competencia. Algo no iba tan bien como antes.

Otra de las pistas que nos llevó a pensar en una situación de acoso fue el siguiente hecho. Julio pidió a su acosador que le ayudase a cargar unas cantidades de carbono en varias máquinas de la planta química. Los valores que le aconsejó Víctor a nuestro paciente eran demasiado elevados, por lo que saltaron todas las alarmas para evacuar la planta de la manera más rápida posible, pues había riesgo de explosión. Supuestamente, de manera fortuita, Víctor llamó a Julio para decirle lo que había que hacer, hecho que se le trasladó al jefe.

El afectado refería que todos los días pasaba algo de este calibre y que estuvo «aguantando» durante un año y medio. Todo esto desembocó en síntomas ansiosos y depresivos que se mantenían incluso durante el fin de semana.

Actualmente está de baja y esperamos que pronto se reincorpore al trabajo con las herramientas suficientes para hacer frente a situaciones de este tipo.

Ciberbullying

Se describe como «abuso psicológico» entre iguales o de edad similar. En este caso, la diferencia con el *bullying* es el medio a través del cual se produce el acoso, puesto que en el *ciberbullying* se utilizan las nuevas tecnologías de información y comunicación (NTIC).

Se considera importante destacar que, antes de que se lleve a cabo el acoso por medio de las tecnologías, existen acciones de hostigamiento «cara a cara».

Es relevante hacer una distinción con el «ciberacoso», ya que para que estas acciones tomen dicho nombre, el atacante tiene que ser una persona adulta, a diferencia del *ciberbullying,* donde el agresor puede ser un menor.

Dentro de la tecnología citada anteriormente, incluimos teléfonos móviles, Internet, incluso videojuegos *online*. En este apartado cobran gran importancia las aplicaciones mediante las que se producen; algunas de ellas son: mensajería instantánea, redes sociales, correo electrónico, etc.

En este tipo de acoso, las manifestaciones se llevan a cabo mediante insultos, chantajes, acusaciones, humillaciones, divulgación de falsa información, manipulaciones, suplantaciones de perfiles, etc. Estas acciones se producen de forma deliberada e intencionada para dañar a la persona acosada, siendo persistentes en el tiempo.

Algunos de los aspectos que caracterizan a este fenómeno son el anonimato, ya que la víctima puede no saber quién le acosa, puesto que en las redes sociales es posible suplantar la identidad, haciéndote pasar por alguien que no eres. Además, se produce un efecto cadena, pues la audiencia en el medio de las tecnologías posee capacidad para llegar a muchas personas o perfiles de manera inmediata.

El agresor ataca mediante acciones de hostigamiento e intimidación de forma totalmente anónima. Cuando se hace en un medio virtual, las claves socioemocionales son mucho menores, al igual que el sentimiento de culpabilidad o remordimiento, lo que supone mayor «desinhibición virtual».

Por el contrario, en la víctima se produce una mayor indefensión, ya que no prevé ni puede prevenir el ataque, generándose en cualquier momento, a diferencia del *bullying,* donde el perjudicado huye si ve a su agresor.

En el *ciberbullying* destacamos las siguientes fases:

Contacto físico

El acosador conoce a su víctima físicamente, la ha tratado e incluso maltratado antes de llevar a cabo el acoso por medio de las tecnologías.

Contacto tecnológico

El atacante comienza a amenazar, coaccionar o a insultar a su víctima por medio de alguna vía tecnológica. En un principio, todo parece un juego sin más, tal y como sucedía en el *bullying,* pero no es así. El acosador hace público ese hostigamiento contra su víctima, debido a la rapidez de difusión de información en estos medios, lo que es más devastador para el acosado.

Aparición de daños psicológicos graves

En este fenómeno, los síntomas son muy similares al *bullying*.

Las principales causas por las que se produce son:

- Uso temprano de las NTIC, acompañado de ausencia de pautas educativas acerca del manejo y los riesgos que conlleva adentrarse en el ciberespacio, lo cual resulta atractivo y divertido a la vez que perturbador o peligroso. En este aspecto consideramos que el apoyo educativo es necesario. Debemos educar a nuestros menores sobre la importancia de un uso «sano» de los medios tecnológicos.
- Ignorancia de los riesgos, puesto que los pequeños navegadores no son conscientes de la importancia de la privacidad y de la capacidad de reproducción multiplicada de la información enviada o expuesta en nuestras redes sociales.

La ausencia de mecanismos relacionados o implicados con la protección de datos y privacidad para los menores, también es una razón de peso para que este acoso entre iguales por medio de las NTIC siga siendo una realidad.

Seguidamente expondremos un caso tratado en nuestra consulta.

Las manos me temblaban cuando iba a apretar el botón para encender el ordenador. No sabía qué me esperaba ese día, pero mi mente me decía, ¡no tengas esperanza, María, seguro que hay algo! A día de hoy, tengo miedo, temor, pavor a los ordenadores. Me pongo nerviosa y se me corta la respiración cada vez que tengo que mirar el móvil u oigo el sonido de un simple mensaje de WhatsApp. Mi agresora me hizo bullying en sexto de Primaria y ahora, con todos los avances tecnológicos, no duda en machacarme por las redes sociales. Me ha quitado de los grupos sociales que compartíamos todos los de la clase. Cada día pone un comentario en su tablón de Facebook ridiculizándome o insultándome. Y lo más duro es ver que la gente le da al botón de «me gusta» o añade comentarios como: muy bueno, jajaja, estoy de acuerdo, a por ella... Eso, un día tras otro, cansa y tengo miedo a salir a la calle.

El otro día recibí un correo de enhorabuena por inscribirme a una página de sexo. No me preguntes cómo pero creo que tienen mi contraseña. Me envían virus y mis cuentas se me bloquean en el momento.

He creado quince diferentes desde que me están machacando la vida. En otra ocasión subieron a una red social una foto mía y, al lado, un árbol con una cuerda que le unía a mi cuello. En el título ponía: «así queremos verte». Ésa fue una de las cosas que más me impactó, porque por la noche había veintitrés «me gusta» y siete comentarios llenos de insultos, vacíos de sensibilidad.

Esto es muy duro y no se lo deseo a nadie. He pensado en el suicidio, ya que parece que en este mundo estorbo, por lo menos, de alguna forma, dejarían de reírse de mí.

Éste fue el primer contacto que tuvimos con la paciente antes de empezar el tratamiento.

Grooming

Este término se traduce al español como «engatusamiento» o «acicalamiento». En este fenómeno, los agentes de la acción cambian, no siendo dos personas de la misma edad, ya que uno de ellos es un adulto. Este último será quien se encargará de establecer un vínculo socioemocional, de «camelar» al menor, fingiendo amistad, cariño, comprensión, ayuda... para obtener su finalidad, abusar sexualmente de él, intentando promover espectáculos pornográficos mediante fotos o vídeos del mismo realizando actos sexuales o desnudos.

Las principales fases de este proceso son:

- **Contacto en la red:** el adulto inicia la búsqueda a través de cualquier medio digital (redes sociales, *chats* de amistad, *blogs,* etc.). Se hace pasar por un niño de su edad para «enganchar» al menor. El acosador va obteniendo información y datos personales de su víctima para consolidar la relación de amistad.
- **Vínculo afectivo:** se afianza la relación de amistad, produciéndose confesiones, intercambiando secretos y se empiezan a compartir conversaciones de interés. El lazo afectivo ha sido creado y el acosador ha conseguido que el menor lo considere importante en su vida.

- **Tácticas sexuales:** el adulto se aprovecha de la vulnerabilidad del menor y comienza a mandarle fotos de contenido pornográfico. Su fin es provocarle y seducirle para generar en él una respuesta sexual. Generalmente, dichas respuestas son el envío de fotos de desnudos del menor o que, mediante webcam, éste realice actos sexuales como tocarse, o desnudarse, con el acosador al otro lado de la pantalla, lo cual suele ser grabado.
- **Ciberacoso:** ahora el acosador tiene el poder y comienza a chantajear a su víctima, pidiéndole más. Si ésta se niega, tendrá unas consecuencias, como expandir el material pornográfico del menor por toda la red. Así, consigue que la víctima no vea más salida que seguir haciendo lo que le pide su acosador. En esta fase se puede llegar a forzar al menor a tener encuentros sexuales para abusar de él físicamente.

La diferencia entre *grooming* y pederastia es el medio en el que se desarrollan cada una, ya que el primero sucede en el medio de las NTIC, mientras que el segundo acontece en el medio físico, siendo el más prevalente el hogar. En cualquier caso, se ha hecho referencia al segundo concepto porque el perfil del adulto que está detrás de ambos tipos de acoso es similar.

¿Cuáles son las causas por las que un adulto lleva a cabo este tipo de comportamientos? Actualmente no existe un consenso claro para responder esta pregunta, pero diversas investigaciones han revelado coincidencias entre profesionales de la salud, tales como: baja autoestima y autoconcepto, sentimientos de inseguridad, e inferioridad, dificultades para mantener relaciones conyugales con personas de su misma edad, etc.

También se hace referencia a la influencia que pudieron tener en el pasado, respecto a su educación sexual, imponiéndoles su entorno el uso de la sexualidad como algo negativo o impune. En muchas ocasiones este tipo de adultos han sufrido abusos sexuales y recrean lo que ellos vivieron.

Nos llegó a consulta un caso de *grooming* que ilustrará lo anteriormente expuesto.

Solía conectar con gente en los chats. Me gustaba conocer gente nueva. En el instituto me sentía el patito feo, y hablar con la supuesta «martita13» me hacía sentir bien, me encontraba a gusto, me sentía especial. Todos los días hablábamos durante dos horas, las cuales se me pasaban volando. A veces me pedía que me pusiese la webcam para verme, yo también se lo pedía, pero ella no accedía a hacerlo porque decía que estaba rota. A pesar de eso, nuestra relación iba a más. Yo cada vez tenía más ganas de hablar con ella, incluso me atrevería a decir que me gustaba, me había enganchado. Un día me propuso jugar a un juego. Me aseguró que yo era para ella una persona muy importante y me dejó caer que quería ser algo más que amigos. Me emocioné muchísimo, ya que era una chica realmente interesante y acepté su proposición.

Al día siguiente me escribió diciéndome que como ya éramos novios, debíamos dar algún paso más y me pidió que me quitara la camiseta, después los pantalones, prometiéndome que cuando le arreglaran la cámara, ella también lo haría. Yo cedí ante la petición, ya que estaba deseando ver cómo era. Me había enamorado de una persona de la cual solamente veía una foto tamaño carnet y en la que además no se le veía mucho la cara.

Hice eso durante muchos días y en su cumpleaños, me pidió que le regalara algo más especial, que me tocase para ella, poniéndome en un lugar visible. También me sugirió que jadease, que le dijese palabras sexuales para que ella me oyera, asegurándome que ella iba a hacer lo mismo detrás de la pantalla.

Empecé a sospechar de si todo era real o no cuando un día no accedí a sus peticiones, pues estaba cansado y quería ir pronto a la cama. Inesperadamente me escribió que si no hacía lo que me decía podría publicar las fotos o los vídeos que me había grabado. Estaba asustado por lo que accedí a sus peticiones. Pensé en que tal vez tenía un mal día y seguí actuando como antes, aunque ya no era igual. Intenté pasar y olvidarlo, pero ella no me dejaba con sus continuos mensajes, los cuales sonaban amenazantes. Llegué a estar realmente preocupado y mi padre habló con los profesores y amigos, ya que llegó un punto que, por las amenazas, no quería salir de casa. Finalmente, los mensajes recibidos eran a mi móvil, treinta al día como mínimo por lo que confesé todo a mis padres, no podía más.

Los padres también estuvieron en tratamiento por el sentimiento de culpabilidad que les abordaba. Hay muchas medidas que se pueden tomar, pero la más acertada es el diálogo con los niños y compartir momentos con ellos en las redes sociales, advertirles de estos riesgos, explicarles que si son víctimas hablen con ellos para que «no pase a mayores».

Sexting

Se define como el envío de contenidos eróticos o pornográficos entre dispositivos móviles, en la mayoría de las ocasiones, aunque también pueden utilizarse otras vías. Hay personas que lo entienden como una nueva moda de interacción social.

Los contenidos de los que hablamos son fotos del cuerpo desnudo, o de partes del mismo. También las personas que llevan a cabo esta práctica pueden grabar vídeos de tipo sexual. Los propios protagonistas son los que los envían a otras personas, ya sean amigos, amantes, conocidos o parejas.

En este fenómeno también destacamos varias fases:

- **Contenido erótico:** el protagonista de la historia decide grabarse o fotografiarse sin o con poca ropa y, en el caso de los vídeos, llevando a cabo determinados actos sexuales, como masturbándose. Dicho contenido es enviado por parte del productor del mismo cometiendo un atentado contra su propia privacidad, de manera absolutamente irreversible y situándose en una posición de elevada vulnerabilidad.

  Cabe destacar que el remitente no valora los riesgos que ello conlleva, al entenderlo como un juego sexual o un simple «coqueteo».

- **Ofensa pública:** dado que el envío de contenidos no tiene vuelta atrás, del destinatario depende que éstos, ahora en su poder, puedan ser conocidos por muchas personas mediante el uso de las nuevas tecnologías. Cuando esto ocurre, la intimidad de la persona queda al descubierto. En este momento, el *sexting* toma el nombre de sextorsión, ya que el receptor manipula al emisor de los contenidos, demandándole dinero, más imágenes e incluso relaciones, a cambio de que la información sexual no sea propagada.

Estos materiales pueden ridiculizarse promoviendo que la persona sufra vejaciones y burlas mediante la manipulación de esos contenidos, en este caso, estaríamos hablando de *ciberbullying*.

Una de las causas fundamentales del *sexting* es la influencia directa del grupo de amigos, ya que no hacerlo significa correr el riesgo de que te pongan la etiqueta de «aburrido o anticuado». La persona acaba actuando por la simple presión de los amigos, con el fin de evitar consecuencias como el aislamiento, la burla o la soledad.

Obviamente, hay personas que realizan esta práctica porque les gusta «lucirse» o «coquetear». Infravalorar el riesgo de que sea enviado a otras personas por venganza, chantaje o simple humillación son otras de las razones por las que esta práctica sigue existiendo.

Seguidamente describiremos otro caso que atendimos.

Virginia, una mujer de 23 años, nos narraba su historia muy afectada por la traición que había vivido.

Siempre creí que era el amor de mi vida. Un chico respetuoso, perfecto a mi parecer.

Sinceramente en el tema sexual nunca tuvimos problemas, al contrario, disfrutábamos mucho en las relaciones sexuales que manteníamos. A ambos nos encantaban los juegos sexuales, los preliminares y siempre estábamos con los mensajitos subidos de tono. A él le encantaba la lencería y los disfraces seductores. Muchas veces, me pedía que me disfrazase de algo para cumplir sus fantasías. Además, como pasábamos épocas separados y sabía que a él le gustaba, solía disfrazarme y fotografiarme vestida de enfermera, secretaria o con lencería sensual para que él viera lo que le esperaba y me desease aún más. A veces incluso me grababa haciendo algún streptease para que él fantasease mientras yo me desnudaba.

Un día ocurrió algo inesperado que jamás hubiera pensado. Una amiga lo vio besándose con otra chica en una discoteca. Obviamente, al día siguiente me decidí a dejar la relación explicándole lo ocurrido. Él se enfadó mucho y me juró que se vengaría de mí. Efectivamente, así lo hizo y por eso estoy hoy aquí.

Envió a todos sus contactos, incluidos a mis amigos y familiares, las fotos semidesnuda y desnuda, de partes concretas de mi cuerpo, del pecho o de la vagina, acompañándolas de un mensaje «esta zorra me ha hecho la vida imposible». No contento con eso, creó un blog, invitó a todos sus amigos y cada día colgaba una foto diferente con frases como «si me das cinco euros te hago lo que quieras» y otros mensajes que prefiero no mencionar porque siento una enorme vergüenza.

Ante estos hechos, los contactos del blog hacían comentarios entre risas, burlas e insultos. Ahora estoy vendida, no tengo privacidad y mi reputación está por los suelos.

Es obvio que el contenido de mensajes eróticos y pornográficos no es nada nuevo, pero hay que tener en cuenta y hacer consciente a la población del riesgo que supone exponer intimidades mediante las nuevas tecnologías, ya que es un verdadero peligro por la manera incontrolada y masiva con la que tienden a difundirse.

Happy slapping

Se traduce al español como «bofetada feliz». Es un fenómeno en el que un grupo de personas, normalmente adolescentes, buscan a otra, sea conocida o no, para propiciarle una paliza (golpes, patadas, bofetadas...), además de toda clase de insultos. Dichos actos violentos no acaban aquí, dado que el objetivo último es grabar o fotografiar lo que se le hace a la víctima seleccionada, mediante los móviles de última generación, o cualquier otro dispositivo que tenga integrado una cámara de vídeo para subirlo a la red o enviarlo a sus contactos. Cabe destacar que una de las características es la ausencia de provocación de la víctima.

Éstas son las diferentes fases que componen el proceso del que venimos hablando.

- **Búsqueda:** un grupo se dispone a buscar a su víctima, haciéndolo generalmente en lugares donde no hay mucha visibilidad y llaman poco la atención, ya que alguien podría alertarse y comunicarlo a la policía para que interviniese en el asunto. Varios estudios han demostrado que estos hechos tienen mayor prevalencia en parques, paradas de metro o autobuses urbanos.

- **Agresión y grabación:** cuando la víctima es capturada y no tiene posibilidad de escapar, una o varias personas empiezan a golpearle mientras que otra u otras graban o fotografían cada paso de la agresión. Hay ocasiones en las que el propio agresor graba los hechos delictivos mientras los está llevando a cabo.
- **Divulgación:** una vez el vídeo está disponible, los agresores cuelgan la grabación en alguna red social para compartirlo con otros usuarios. Otra práctica común es enviarla a los contactos mediante el uso de dispositivos móviles. De este modo, el contenido violento de estas filmaciones se distribuye a muchas personas y de manera muy rápida.

Esta práctica es llevada a cabo en busca de entretenimiento y riesgo, incapaces de valorar los peligros y efectos perjudiciales que ocasionan en la víctima.

Una de las causas que se atribuye a esta «moda» es la presión grupal. Como bien es sabido, hay determinados perfiles de personalidad más vulnerables que tienden a dejarse influir y manejar por la presión de los amigos. Esto ocurre, en la mayoría de las ocasiones, por miedo a las consecuencias, a que les renieguen, insulten o aíslen por no hacer lo que se les pide.

Se tiende a pensar que los responsables de la difusión de estos contenidos pertenecen a familias marginadas socialmente o desestructuradas, pero los estudios han demostrado que no es así, ya que habitualmente forman parte de familias acomodadas, con un nivel socioeconómico medio-alto.

Otra de las razones que se achacan a este tipo de conductas violentas es el mal uso y utilización sin control de los videojuegos, algunos de ellos excesivamente agresivos. De este modo, algunos adolescentes con determinados rasgos de personalidad o con dificultades para canalizar lo que ven, optan por vivir en la realidad lo que manejan en el ciberespacio.

El presente relato es narrado por la madre de una niña con síndrome de Down.

Vi a Lucía llegar a casa llorando, con el labio partido, sangrando, con un derrame en un ojo y casi sin poder andar. Todavía recuerdo aquel momento y es inevitable que rompa a llorar.

Lucía, a pesar de su retraso mental, era una niña capaz de comunicarse, querer, empatizar... Yo intentaba por todos los medios que no se sintiese sola y que en la medida de lo posible fuese «normal».

Esa tarde salió con sus amigas, como un día más. Fueron a un concierto que les recomendó el profesor del instituto. Cerca de casa hay un parque donde suele haber chicos haciendo grafitis y entreteniéndose con los patinetes. Nunca había pasado nada raro y yo estaba tranquila. A pesar de eso, yo siempre hablaba con una amiga que vive cerca de casa para que la acompañase. Ese día, Carmen, la amiga de la que os hablo, se quedó con un chico, por lo que Lucía tuvo que venir a casa sola. En el parque, anteriormente descrito, fue donde ocurrieron los hechos. Lucía relata que ella venía andando, cuando de repente, una chica la cogió de la capucha de la sudadera y la tiró al suelo. Vio a otra chica que mientras le propiciaba patadas le decía «sonríe retrasada». Además mi hija oía: ¡eh, mira a la cámara eres la actriz de esta película! Tras escuchar esto, levantó la cabeza y vio cómo un chico grababa lo que estaba pasando. La dejaron tirada en el suelo y, como pudo, volvió a casa. Esos chicos difundieron el vídeo, lle-

gando a manos de un profesor del instituto. No quise ver el contenido de dicho vídeo. Hemos denunciado los hechos, ya que es un delito contra la integridad moral de mi hija.

Ahora Lucía tiene miedo a salir sola, sufre continuas pesadillas y su humor ha cambiado de una forma radical. Parece mentira que por simple diversión se pueda arruinar la vida de una persona tan drásticamente.

Las NTIC son un arma de doble filo; así, los padres, educadores y docentes han de enseñar a realizar un buen uso de ellas mismas, lo cual nos sirve para sacar el máximo «jugo» de sus múltiples utilidades, pero aprender a valorar los riesgos son actuaciones necesarias e imprescindibles para evitar casos como los que hemos detallado en el presente capítulo.

CAPÍTULO 3
¿Qué actores intervienen en el acoso?

En este capítulo expondremos los diferentes agentes que intervienen en la situación de acoso. Nos detendremos en sus características específicas, tanto psicológicas y sociales como físicas, además del ámbito familiar en el que se desenvuelven y los diferentes perfiles.

Acosador

- **Perfil psicológico:** en lo referente al sexo, hay una mayor proporción de varones que ejercen el papel de agresor, en contraposición a las féminas. En el caso de las mujeres existe un tipo de acoso psicológico mucho más sutil y disimulado.

  Concretando características psicológicas, cabe señalar el temperamento hostil y agresivo. Los agresores tienen una baja tolerancia a la frustración, por lo que son impulsivos a la hora de reaccionar. Tanto es así que algunos autores hablan de que la hiperactividad es una cualidad inherente a este tipo de perfil psicológico.

  Uno de los rasgos más importantes de los *bullies* (acosadores) es la falta de empatía, y por ende la ausencia de sentimiento de culpa, cuando llevan a cabo sus acciones. Así, actúan pero luego son incapaces de ponerse en el lugar de la víctima, carecen de remordimiento, ya que no entienden si la persona está sufriendo o no. Se mantienen totalmente ajenos a los sentimientos de desesperanza y desesperación de su acosado.

Los matones/acosadores tienen dificultad para controlar su ira y rabia. De hecho, se ponen a la defensiva porque uno de sus déficits es la falta de confianza en los demás y la baja capacidad para leer las intenciones de los otros.

Consideran que pueden valerse por sí mismos y no necesitan ayuda de nadie. En lo que respecta a la autoestima (la capacidad que tienen para valorarse a sí mismos) se han encontrado contradicciones. Desde nuestro punto de vista, y teniendo en cuenta las evaluaciones realizadas a personas que han atentado contra compañeros de clase sin motivo aparente, deducimos que la autoestima es baja, pero que ésta aumenta cuando ejercen control sobre los otros, ya que adquieren un rol dominante y de poder. Entendemos que estas personas buscan mostrar su valía y seguridad maltratando a otros porque en el fondo son muy inseguros.

- **Perfil social:** carecen de unas adecuadas estrategias en su repertorio de habilidades sociales, ya que consideran la relación con los demás como un foco de conflicto.

    También existe dificultad a la hora de negociar o llegar a acuerdos con estas personas, puesto que ellos son los que ejercen el papel dominante y los demás tienen que acatar sus órdenes y reglas.

    Las interacciones sociales de los agresores se caracterizan por una elevada carga de agresividad, siendo incapaces de aceptar normas. Tampoco tienen capacidad para resolver conflictos mediante el diálogo, por lo que su integración social y escolar es baja.

- **Perfil físico:** en lo que respecta a las particularidades físicas, por norma general, son más corpulentos y tienen mejor forma física que sus víctimas, por lo que se consideran superiores en lo que a fuerza se refiere. Así, tienden a atentar contra personas que son de aspecto inferior para que éstos se perciban como débiles.

- **Perfil familiar:** son varias las causas por las cuales el niño lleva a cabo alteraciones conductuales, pudiendo darse de manera aislada o combinada. Una de ellas es la falta de límites por parte de las figuras paternas. Los padres excesivamente permisivos influyen de manera determinante en la educación del posible acosador, ya que no aprende a distinguir lo que es adecuado e inadecuado. Además, los déficits existentes en la disciplina promueven que la persona no cumpla, ni se responsabilice de las tareas que le son asignadas y tampoco piense en las consecuencias negativas que esto puede ocasionar.

  Otra de las razones que condiciona este tipo de personalidad agresiva es el modelaje. Desde pequeños aprendemos de los mayores, que actúan de modelos, por medio de la observación, o lo que denominamos en psicología «aprendizaje vicario». Si el niño visualiza que hay cosas que se consiguen mediante el uso de violencia, entenderá que puede actuar de la misma forma para lograr sus objetivos.

  La falta de atención por parte de los padres o compañeros, base de muchos problemas en edades tempranas, es otra causa importante a destacar. Cuando el agresor se siente insignificante, solo o fuera de lugar, realizar acciones agresivas delante de los demás le ayuda a obtener reconocimiento.

En consulta, vemos a niños y adolescentes con este perfil que son un reflejo de sus padres y, en numerosas ocasiones, los primeros proyectan lo que reciben por parte de sus familiares. Se han estudiado casos en los que el menor estaba siendo abusado sexualmente, a la vez que maltratado física y psicológicamente.

Y por último, el mal uso de las NTIC, las series o dibujos violentos de televisión, además de los videojuegos, ayudan al incremento de la hostilidad y venganza. En estos casos, ni el uso, ni el tiempo suele ser el idóneo en edades tan vulnerables.

- **Tipos de acosadores:** existen dos clases de agresores (directo e indirecto).

  — *Acosador directo:* persona que se muestra activa en sus acciones y agrede de forma personal a la víctima, cara a cara. Este perfil busca refuerzos en otros compañeros para que se unan a las «fechorías» e intimidaciones que planean.

  — *Acosador indirecto:* ejerce un maltrato sutil por medio de las continuas manipulaciones de sus seguidores. Ésta es la persona que planea y organiza los ataques, suscitando a los demás para que los lleven a cabo.

  Así, él consigue su objetivo sin «mancharse las manos», siendo, de esta forma, más complicado que lo señalen como culpable.

Acosado

- **Perfil psicológico:** por lo general, en lo que respecta al sexo, los varones son más proclives a ser acosados porque dicho colectivo está más implicado en conductas violentas. Como se ha señalado, en el maltrato psicológico son las mujeres las más prevalentes.

Una cuestión a destacar es la introversión de las víctimas. Suelen ser personas dependientes, cohibidas, inseguras y proclives a desarrollar trastornos depresivos o problemas emocionales por carecer de estrategias y recursos personales de afrontamiento. Su autoestima es baja, y así tienden a valorarse negativamente. Presentan sentimientos de inferioridad, se perciben más débiles y con menos derechos que el resto de sus compañeros, lo que desencadena un autoconcepto negativo (pensamiento negativo sobre sí mismos).

Según nuestra experiencia, cuando realizamos las primeras entrevistas con este colectivo se detecta una baja sinceridad, que se manifiesta en la ocultación de información veraz, mediante el disimulo o cambio en el foco de atención.

Estudios recientes han corroborado que el perfil de víctima correlaciona de manera positiva con algunos rasgos de personalidad, como son: neuroticismo (caracterizado por inestabilidad emocional, sintomatología ansiosa y elevada preocupación) e introversión.

• **Perfil social:** las víctimas tienen una baja integración social al tender al aislamiento, principalmente por sus características de personalidad. Les cuesta relacionarse con los demás por el elevado grado de retraimiento y timidez inherente a su persona.

Los «martirizados» forman parte de grupos pequeños, e incluso suelen ir en parejas. Cuando esto último ocurre, el afectado tiende a volverse dependiente de la otra persona, cediendo ante cualquier cosa que le pida con tal de no perderla.

- **Perfil físico:** es frecuente la existencia de rasgos distintivos que son objeto de burla para el acosador. El simple hecho de llevar aparato dental, gafas, tener un color de piel o un contorno físico diferente al de la mayoría, es suficiente para que el agresor escoja a la persona para situarlo en el centro de su diana.

    Además son de constitución débil, por lo que aparentemente son inferiores, en cuanto a fuerza se refiere.

- **Perfil familiar:** a diferencia del estilo parental de los atacantes, en las víctimas se lleva a cabo una sobreprotección familiar, hecho que provoca que los hijos crezcan con temores, por lo que existe una relación bidireccional de dependencia entre padres e hijos. Este motivo podría explicar la deficiencia en las habilidades sociales que citábamos anteriormente, dado que ven el hogar como un lugar seguro, y sus padres, como las personas portadoras de seguridad y apego.

- **Tipos de víctimas:** destacamos la activa y la pasiva.

    — *Víctima activa:* personas que ante las continuas provocaciones del *bully* reaccionan y actúan de forma desafiante, a la defensiva. En esta situación, el afectado tiende a ponerse nervioso, sufriendo síntomas de ansiedad y llevando a cabo una respuesta agresiva y hostil hacia su «matón».

    Este tipo de víctima presenta una elevada irascibilidad e irritabilidad, influyéndole en el ámbito escolar, mostrando mayor desatención y falta de concentración.

    Las reacciones violentas de los atacados enmascaran la situación de acoso, al creerse que son simples peleas entre compañeros. Dichas reacciones ayudan al acosador a justificar que no es él solo el que pelea. La diferencia entre ambos es que la víctima es provocada y el agresor ejerce la violencia con la intencionalidad de generar un daño.

— *Víctima pasiva:* sufre continuas vejaciones y acciones de hostigamiento por parte del acosador. La reacción ante las mismas es sumisa, es decir, no se defiende, ni intenta atentar contra su hostigador, sino que sufre en silencio todo lo que le acontece.

Cuando hay indicios claros de violencia, por ejemplo, la cartera rota o un moratón en la cara, incluso cambios bruscos en su estado anímico, este perfil de acosado miente y oculta la información real, con el fin de que no se descubra lo que ha pasado, por el miedo a las consecuencias de que llamen la atención o castiguen al «matón».

Esta actitud hace que la víctima tienda al aislamiento. Su confianza en los demás disminuye y sus redes sociales son nulas o escasas. Los propios compañeros le dan de lado, no le tienen en cuenta, por lo que la integración social y escolar es, francamente, baja.

Espectadores

Dentro de la situación de acoso, añadido a los dos perfiles imprescindibles, como son agresor y agredido, hay otros sujetos que al estar presentes, cambian de manera determinante la manera en que desarrollan y finalizan las acciones violentas: éstos son los espectadores. Existen varias tipologías de los mismos.

- **Seguidores del agresor o cómplices:** como su propio nombre indica, estas personas ayudan al agresor, siendo implicados de una forma directa en el plan del *bully*. Generalmente, pertenecen a la misma pandilla o grupo y se identifican con los valores y normas del mismo.
- **Reforzadores pasivos:** presencian las conductas violentas, son conscientes del daño causado a la víctima, pero no hacen nada por evitar la situación. Es habitual que refuercen las conductas violentas con halagos, sonrisas, chillidos o mensajes de ánimo, aplausos, muestras de admiración...
- **Observadores:** este perfil se dedica exclusivamente a observar lo que sucede. No se muestran a favor de la violencia, pero al no hacer nada para evitarla acaban por reforzarla. No actúan por miedo a convertirse en otro de sus objetivos. Optan por mantenerse al margen, sintiéndose ajenos al problema que están vivenciando.
- **Defensores de la víctima:** apoyan y defienden al perjudicado, cobrando esta postura dos formatos: defender de forma directa a la víctima, interponiéndose entre ésta y el agresor, con el objetivo de que este último y su séquito paralice el hostigamiento; frenar el suceso violento buscando ayuda externa de un adulto, ya sea algún maestro, profesor, policía o cualquier adulto que pase por el lugar de los hechos. Esta última conlleva menos peligro y el defensor evita que se atente contra su integridad física.

Es importante conocer las características o los rasgos más destacados de los implicados en una situación de acoso, para ayudarnos a identificar perfiles que forman parte de la problemática y así realizar una buena praxis para solventarla.

CAPÍTULO 4

¿Qué factores influyen
en la aparición del *bullying*?

Seguidamente expondremos los factores, tanto de riesgo como de protección, que influyen en los actores principales: agresor y agredido, así como en la violencia en general. Conocer dichos factores es de gran importancia, ya que si sabemos lo que condiciona o no la aparición del acoso escolar, podremos llevar a cabo una labor de prevención y entender lo que ha contribuido a que se desencadene una situación de violencia.

Factores de riesgo

Son aquellos que promueven o facilitan que una persona tenga una mayor probabilidad de desarrollar conductas agresivas o, por otro lado, de ser el «blanco de la diana» del acosador. Puesto que a lo largo del libro hacemos continuas referencias a este tipo de factores, nos centraremos en los de protección. No obstante, ofreceremos un ejemplo al final del capítulo especificando algunos de los factores de riesgo valorados en una de nuestras intervenciones.

Factores de protección

Se definen como los determinantes que disminuyen el impacto de los factores de riesgo, promoviendo así el desarrollo del bienestar personal, familiar, escolar y social del sujeto.

Identificarlos y contribuir a su desarrollo es realmente importante, ya que facilita la reducción de conductas violentas, para así realizar una labor de prevención primaria.

Acosador

a) *Personalidad:* el ser humano es modelado por las influencias ambientales que le rodean. Así, desde edades tempranas se puede enseñar a desarrollar habilidades interpersonales, tales como empatía, capacidad de negociación, con el fin de resolver problemas mediante la comunicación y el entendimiento, etc. Esto ayudará al sujeto a entender perspectivas diferentes ante un mismo planteamiento.

Otro aprendizaje que actúa como factor de protección es el basado en modelos de referencia que tienen como base los valores de igualdad, comprensión, tolerancia, respeto a los demás y solidaridad.

b) *Ámbito familiar:* un adecuado estilo educativo por parte de las figuras paternas ayuda a que los hijos aprendan a resolver situaciones conflictivas de una manera pacífica. Un hogar estable y saludable facilita el mantenimiento de un entorno de confianza y comprensión.

c) *Ámbito escolar:* aumentar la vigilancia en los centros escolares y la enseñanza de comportamientos prosociales y de habilidades interpersonales, son determinantes para frenar la aparición de factores de riesgo en el entorno escolar.

Además, la enseñanza de formas eficaces de interacción, comunicación y resolución de conflictos, con el objetivo de mejorar la convivencia en los centros educativos, es imprescindible para lograr la generalización de aprendizajes a otros entornos donde el sujeto se desarrolla.

d) *Ámbito social:* un factor de protección importante consiste en pertenecer a un grupo de amigos donde los miembros se dedican a divertirse, por ejemplo, yendo al cine o jugando un partido de fútbol.

Acosado

a) *Personalidad:* una característica que se identifica como preventiva en el *bullying* es la «autoeficacia autorregulatoria». Ésta es entendida como la capacidad personal para gestionar y valorar la forma de actuar ante determinadas situaciones, siendo capaz de anticipar los posibles riesgos y consecuencias que se derivan de su comportamiento. La persona no se deja influir por agentes externos, ya que es capaz de autocontrolarse.

b) *Ámbito familiar:* las pautas educativas paternales flexibles, pero con límites, son la base de una buena educación. Esto ayuda a que sea capaz de tomar sus propias decisiones y confiar en los padres, ante la posible existencia de problemas.

c) *Ámbito escolar:* en este subapartado podríamos hacer referencia a lo mismo que ha sido apuntado anteriormente en cuanto al agresor.

Añadiríamos, además, una actitud de disposición de ayuda y de confianza por parte del profesorado hacia el alumno, ya que cuanto más demuestren los primeros que se puede contar con ellos, más posibilidades habrá de que la víctima confiese lo que le está sucediendo.

d) *Ámbito social:* es importante para los alumnos en situación de indefensión que pertenezcan a un grupo de amigos, con los que compartir tiempo, planes, ocio, etc., lo que favorece una buena adaptación y evita que se sientan «fuera de lugar».

Seguidamente presentamos un caso donde identificamos los factores de riesgo y de protección detectados tras la evaluación de un adolescente de 14 años, derivado a nuestra consulta por un tutor del instituto.

> *Raúl era un chico calificado como «difícil, agresivo e impulsivo» desde edades tempranas. Cuando ahondamos en los antecedentes familiares, encontramos unos padres separados, cuyo divorcio fue problemático, ya que el paciente no tiene relación actual con el padre. Él se sentía culpable de ese hecho, ya que, según cuenta, la figura paterna le obligaba a hacer cosas que él no quería, abusando sexualmente de él* **(factores de riesgo familiares).** *En lo que respecta al entorno social, comenta que tiene unos buenos amigos que hacen «cosas malas». Le pedimos que nos describa algunas de ellas y nos detalla hechos relacionados con drogas, abusos sexuales a niñas o adolescentes, acciones como el happy slapping, descrito en el segundo capítulo y peleas entre chicos de otros barrios* **(factores de riesgo sociales).** *Además, en el momento de administrarle las pruebas de evaluación correspondientes, las puntuaciones resultan significativas en rasgos que contribuyen al diagnóstico de trastorno narcisista. Se observa déficit en el control de impulsos y baja tolerancia a la frustración, resultando los índices de agresividad elevados* **(factores de riesgo personales).** *En el ámbito escolar detectamos que hay*

una atención psicológica, por parte del orientador educativo, el cual suele trabajar con él dos veces al mes. Existe implicación de los profesores, aunque éstos aseguran que a veces pierden la calma porque les impide dar la clase de una manera tranquila y funcional. Aun así, según relatan, «intentan controlarse porque saben de su difícil situación familiar» (**factor de protección escolar**).

Como vemos en el análisis del caso, existen numerosos factores de riesgo que han contribuido a que Raúl se encuentre en esta situación. Si ponemos en un lado de la balanza los factores de riesgo y en el otro los de protección, es evidente que se inclina a un lado (situación problemática). Si hubiese más factores de los últimos, podrían contrarrestar de una manera eficaz la erradicación o neutralización de los primeros, siendo la problemática, probablemente, menos grave. En cualquier caso, el entendimiento y comprensión que Raúl está recibiendo en su centro de estudios y el acceso a recibir nuestra ayuda, son dos factores relevantes de protección.

CAPÍTULO 5
¿Cómo prevenir el acoso?

En este capítulo expondremos una de las partes más relevantes en el tema que venimos tratando, la **prevención**. Ésta es determinante a la hora de evitar que se lleven a cabo acciones relacionadas con el acoso, ya que si se realizan actuaciones correctas por parte de los agentes socializadores, padres, profesores y menores, habrá mayor probabilidad de que nuestros menores estén más seguros, tanto en el ámbito escolar como en los medios tecnológicos.

Dividiremos las actuaciones preventivas en tres colectivos: menores, padres y profesores, y ofreceremos recomendaciones acerca de la prevención del acoso escolar. Posteriormente, expondremos pautas de actuación específicas para el uso de las NTIC.

Recomendaciones para menores

- **Respeto a los derechos de los demás:** trato igualitario, independientemente de la raza, sexo o religión.
- **Búsqueda de alternativas a la violencia:** aprender a escuchar a los otros, respetando y valorando su punto de vista y resolver conflictos mediante la negociación, con el fin de llegar a un acuerdo.

- **Pertenencia a un grupo de amigos:** búsqueda de amistades capaces de aportarnos experiencias significativas, más allá de la violencia. Pertenecer a un grupo fomenta la identidad grupal y personal y, lo más importante, evita el aislamiento.

- **Comunicación a una persona de confianza ante una amenaza:** ante una mínima sospecha de que se está siendo acosado o están acosando a otro compañero, hay que actuar para evitar que la situación empeore. Es conveniente hablar con alguien de confianza para tomar medidas que atajen lo que está sucediendo, por leve que parezca. En ocasiones, hablar sobre lo que le está pasando a algún compañero puede considerarse «dar un chivatazo». Esta noción debe cambiarse mediante intervención del tutor, haciendo ver al alumnado que se trata de ayudar a un compañero, el cual está viviendo una situación vital que le desborda. Es relevante promover una actitud empática para que vean el problema en su persona y valoren qué les gustaría que hiciesen por ellos en esa misma circunstancia.

Se presentan algunos consejos relacionados con el buen uso de las NTIC.

- **Privacidad e identidad digital:** cuando nos adentramos en el mundo virtual, en numerosas ocasiones nos demandan datos personales: nombre completo, dirección, teléfono, etc. El hecho de mantenerlos en secreto nos asegura que nuestra identidad está a salvo. Respecto a la creación de perfiles, se aconseja el uso de *nicks* personales, que sean conocidos por el círculo de contactos, de modo que promueva la identidad digital de la persona.

- **Rechazo a desconocidos:** muchas personas en la red crean perfiles falsos, haciéndose pasar por personas que realmente no son. El fin de esta clase de usuarios es engañar, controlar o dominar a otros. Es por este hecho por lo que no deben aceptarse invitaciones de amistad de personas que no se conozcan.
- **Envío de fotos o vídeos a personas desconocidas:** como hemos hablado en anteriores capítulos, el envío de material personal a desconocidos tiene sus riesgos. Cuando se envía una fotografía o un vídeo, no se sabe cuál será el uso que el receptor de ese contenido le dará, ya que puede manipularlo, enviarlo a otros contactos o mentir sobre él.

  Cabe destacar que hay que guardar cautela a la hora de publicar contenidos concretos en nuestros perfiles, incluso si se trata de personas conocidas, como nuestros propios contactos o alguien que consideramos de confianza. Recordemos el caso práctico que hemos detallado en el segundo capítulo en el que la chica le mandaba a su novio unas fotos de contenido erótico y el chantaje y extorsión que sufrió.
- **Silencio ante la provocación:** en caso de que haya alguien que se dedique a molestar, intimidar, amenazar o chantajear, la mejor opción es bloquear a ese usuario y comunicarlo de inmediato a la familia, a un amigo o profesor de confianza. No es recomendable seguir el juego porque las repuestas son utilizadas en contra de la víctima.

Recomendaciones para padres

Seguidamente, ofreceremos pautas de actuación concretas para prevenir que nuestro hijo sea un actor que intervenga en el acoso escolar, ya sea en el papel de víctima o de acosador.

- **Pautas de educación coherentes:** el estilo de educación parental es determinante para conseguir una educación de calidad. Como se ha comentado anteriormente, la falta de límites o permisividad excesiva, al igual que la disciplina autoritaria, donde no se tiene en cuenta la opinión de los hijos, son dos modelos educativos que tienen consecuencias negativas en la formación de rasgos de personalidad del individuo al que van dirigidos.

  Lo más recomendable es una educación que tenga como pilares básicos la comunicación, comprensión, respeto y confianza. De este modo, lograremos que nuestros menores sean capaces de alertarnos cuando exista algún problema, consiguiendo que el núcleo familiar sea considerado de apoyo ante las adversidades.

  Otro aspecto a tener en cuenta es que los menores aprenden por observación, lo que constata que los padres son ejemplos a seguir y, las palabras o hechos de éstos, se considerarán válidas y quedarán guardadas en el repertorio conductual del observador.

  Llegó a nuestra consulta un niño de 10 años, derivado por el orientador del centro, ya que había estado acosando a otro compañero durante 13 meses. Nos sorprendió cuando le invitamos a sentarse y se negó rotundamente. Posteriormente dijo: «Yo no quiero estar aquí. No tengo la culpa de ser como soy. Mi padre chilla y pega a mi madre y nadie le dice nada».

  En ese momento, tomamos conciencia de que el niño había aprendido una serie de patrones de comportamiento mediante observación directa de la conducta parental.

- **Educación en valores y emociones:** la autoestima, autocontrol, empatía, asertividad, pensar en las consecuencias de nuestros actos, generar alternativas ante una problemática determinada, o gestionar de una forma positiva las emociones, también forma parte de la labor de los padres. La educación parental no sólo se basa en la enseñanza de hábitos o normas sociales, sino que va más allá.

- **Participación en el entorno social del menor:** es importante que los padres conozcan las amistades de sus hijos y cómo interactúan entre ellos. Para que esto se cumpla, algunas opciones son: invitar a los amigos a casa a merendar, contar con algunos de ellos para que se unan a algún plan familiar o proponer una comida con sus familiares para compartir experiencias.

- **Colaboración de la familia y el centro escolar del menor:** la familia y la comunidad educativa deben ir en la misma dirección para conseguir unos objetivos comunes. Debe existir cooperación y colaboración entre ambas. En caso de que surja algún desacuerdo entre padres y docentes, es conveniente que se hable y trate cuando el niño no esté presente, para evitar crear disonancia en los menores acerca de sus figuras de referencia, ya que es positivo que éstos vean que disponen de dos entornos seguros y fiables en los que confiar.

Expondremos una serie de acciones que los padres han de tener en cuenta a la hora de educar a sus hijos en el ámbito de las nuevas tecnologías. El uso masivo y generalizado de éstas hace necesario que los padres, como primeros agentes de socialización de los menores, conozcan los riesgos que conllevan.

- **Educación sobre el buen manejo de las NTIC:** las figuras parentales deben ser las encargadas de informar a sus menores sobre los riesgos, posibles adicciones y peligros que se pueden encontrar cuando «navegan» o «chatean» en la red. Igualmente, también es necesario informarles de los beneficios que se derivan de las NTIC, si se usan de una forma responsable, eficaz y cauta.

- **Establecer límites:** al igual que los padres son los primeros agentes en imponer una serie de límites y normas al menor en cuanto al mundo físico que le rodea, es conveniente que, también en este mundo virtual, se ofrezcan una serie de normas o recomendaciones que deben cumplirse para evitar riesgos. Por ejemplo, es relevante establecer pautas para la duración de las conexiones y estipular las veces que éstas se darán en un día, prescindir del teléfono móvil y desconectar la conexión a Internet mientras se hacen los deberes para evitar continuas distracciones, impedir que usen medios electrónicos en horas cercanas a irse a la cama por la activación física y mental que generan y posible dificultad a la hora de conciliar el sueño, etc.

- **Control sobre el uso de las NTIC:** es necesario establecer cierta vigilancia sobre lo que los menores hacen cuando están en conexión con el medio virtual, como por ejemplo, buscar los servicios que el menor ha demandado mientras navegaba en la red.

Es de suma importancia que el ordenador esté en un lugar transitado; de ese modo, de vez en cuando el adulto puede acercarse para observar qué está haciendo su hijo.

El control del teléfono móvil es otro aspecto importante. Hay que evitar que nuestro hijo haga un mal uso de este dispositivo en el centro educativo. No se le puede prohibir que lo lleve al centro escolar, ya que supone una vía de comunicación con los padres, aunque al igual que con el PC hay que estipular unos horarios; por ejemplo, que envíe mensajes o llame en el recreo o al salir de clase. Además, también es conveniente evitar que esté en el dormitorio cuando se van a la cama. Tampoco es aconsejable su uso en la hora de las comidas y del tiempo de estudio.

- **Recomendación acerca de los contactos:** muchos menores piensan que cuantos más contactos tengan, más populares son. Hay que hacerles ver que no hay que aceptar entre nuestros contactos todas las solicitudes de amistad que nos lleguen, ya que hay personas que tienen malas intenciones y sólo buscan causar daño a menores vulnerables.

- **Interés por la utilización de las NTIC:** es de vital importancia que los padres se acerquen y conozcan la utilización de estos medios, para ayudar a sus hijos a sacar el máximo provecho de los mismos. Hay padres que se muestran reticentes por la falta de información o, simplemente, porque no se ven capaces de manejarse en ese ámbito.

Recomendaciones para profesores

Los docentes son figuras relevantes en la educación del menor, ya que éste pasa la mayor parte del tiempo en su centro educativo, por lo que los maestros sirven de modelos.

- **Educación en valores:** al igual que existe la formación en matemáticas, se debe enseñar a los alumnos a ser personas, dotándolos de una serie de principios morales y valores éticos. Es necesario hablar de temas de acoso, debatir y ofrecer alternativas de actuación, al mismo tiempo que de las consecuencias de nuestros actos. Hay que formar personas con capacidad de decisión y de empatía, fomentando recursos personales para afrontar situaciones difíciles.

- **Normas de convivencia y penalizaciones:** todos los alumnos deben saber cuáles son las reglas del centro y las consecuencias de su incumplimiento.

  Es recomendable que los tutores ofrezcan charlas acerca del acoso escolar para que todos sean conscientes de la gravedad del asunto y sepan intervenir en consecuencia.

- **Supervisión y control de entornos:** una de las labores imprescindibles para la prevención del *bullying* es la vigilancia de lugares como el baño, o situaciones concretas, como el cambio de clase o el recreo.

- **Fomento de buen clima en la clase:** un buen docente tiene que lograr que exista identidad y cohesión grupal dentro del aula, promoviendo valores de cooperación, solidaridad, trabajo... y creando un clima basado en el respeto y la igualdad.

- **Ayuda a los alumnos vulnerables:** hay que ser conscientes de que todos los alumnos no son iguales. Contamos con perfiles más vulnerables, ya sea por introversión, diferencias con el resto del grupo, etc. Hay que tenerlos en cuenta y mantener conversaciones más personales con ellos para cerciorarnos de que todo va bien y, si no es así, prestarle nuestro apoyo para tomar decisiones.

- **Elaboración de un protocolo de prevención e intervención:** estos documentos ofrecen información sobre qué debe hacerse ante un caso específico de acoso escolar. También se incluye a la familia para que sepa los pasos que hay que llevar a cabo en concordancia con el centro educativo.

- **Formación de grupos de alumnos que trabajen exclusivamente para la lucha contra el *bullying* y *ciberbullying:*** la finalidad última de estos grupos es el aporte de apoyo y orientación a quienes estén en una situación de riesgo, que tengan dudas acerca de estos temas, que quieran denunciar algún tipo de situación, que deseen resolver cualquier conflicto interpersonal, etc.

A continuación se concretan actuaciones específicas para la prevención de acoso mediante las NTIC.

- **Charlas preventivas y educativas sobre las NTIC para el alumnado:** enseñar las nuevas «modas» que surgen, como el *ciberbullying, happy slapping, sexting, gromming...,* resulta necesario para que los usuarios conozcan a lo que están expuestos y sepan actuar si les sucede algo parecido.

  Además, en este tipo de charlas se habla de las consecuencias legales que existen, así como del daño que se causa a la víctima.
- **Realización de talleres de formación sobre el buen uso de las NTIC, tanto a padres como a alumnos:** el centro educativo es un lugar idóneo donde los miembros de la familia pueden aprender juntos de una manera divertida. Así, se busca una actividad de encuentro familiar, con el objetivo de ayudar a los padres a introducirse en este mundo, ya que para muchos de ellos, el manejo de estos medios resulta difícil al no estar familiarizados con el uso de las tecnologías y, como consecuencia, no pueden enseñar a sus hijos a que las utilicen de manera eficaz.

La labor de prevención se convierte en una necesidad indiscutible cuando hablamos de cualquier tipo de acoso.

Como se ha expuesto en este capítulo, si en todos los contextos se llevan a cabo las recomendaciones ofrecidas, la probabilidad de sufrir una situación de acoso disminuirá notablemente.

CAPÍTULO 6

Intervención en los casos de acoso

Ésta es la parte más importante al detectarse el acoso, o cuando la propia víctima decide hablar para terminar con la situación «tormentosa» que está viviendo y que, inevitablemente, condiciona su día a día. Por este motivo, la intervención debe ser rápida y eficaz, con el fin de mitigar las agresiones y dotar a la víctima del máximo apoyo y seguridad posible.

Expondremos el presente apartado en tres ámbitos: familiar, escolar y legal.

Ámbito familiar

Ilustraremos con un ejemplo que tratamos en consulta hace años, la importancia de una buena intervención familiar.

Mario y Alba llegaron a consulta totalmente desbordados. Aseguraban que estaban desorientados y angustiados porque su hijo acababa de comunicarles que estaba siendo atemorizado por Jero, un niño de su misma clase, considerado por sus padres como su mejor amigo. La confesión inevitable había sido el día anterior. Usamos el adjetivo «inevitable» porque Álvaro, de 12 años de edad, llegaba a casa en un coche de la policía con la ropa ensangrentada, el pantalón roto y lleno de heces. Había sido encontrado en un parking de una calle paralela al instituto tirado en el suelo.

Según refiere Alba, después de este hecho, los padres empezaron a interrogar a su hijo. Éste entre lágrimas dijo: «no puedo más», «¿por qué yo?»... Se derrumba y confiesa que «su supuesto mejor amigo Jero y sus matones» llevaban pegándole, insultándole y riéndose de él más de cinco meses. Al parecer, no sólo en el instituto, sino mediante mensajes de WhatsApp, fotos en el Facebook retocadas y con sus correspondientes comentarios peyorativos y alguna grabación mediante móvil mientras le asestaban una paliza y le robaban el dinero.

Imaginemos por un momento, después de esta declaración de un hijo, el impacto emocional que supone para los padres no haber sido conscientes antes de la situación. La cantidad de pensamientos intrusivos y emociones desordenadas que les surgen, junto con la incertidumbre de cómo actuar.

Después de la primera toma de contacto con la pareja, establecemos unos objetivos de intervención, los cuales presentamos a continuación:

- **Psicoeducar.** Se trata de ofrecer información acerca de lo que es el acoso escolar, explicándoles que también una persona puede ser coaccionada mediante las nuevas tecnologías. También es importante que conozcan las «modas» actuales que existen y la responsabilidad que como padres tienen en lo referente al control, enseñanza de un buen uso, etc. Hablarles de las causas, las consecuencias y el proceso que ha vivido y está viviendo su hijo para que comprendan sus pensamientos, emociones o comportamientos.

  Todo lo anterior ayuda a aceptar la situación para abordar el problema y así determinar los medios para solventarlo y para que su hijo quede con las menores secuelas psicológicas posibles.

- **Ofrecer pautas de actuación.** Los padres, en un momento como el descrito anteriormente, se sienten profundamente vulnerables y necesitan una adecuada orientación que resumimos en las siguientes pautas.

  — Aceptación y comprensión incondicional. Hacerle ver que sus padres están ahí «para lo bueno y lo malo» y que van a tratar de entender cómo se siente en todo momento.

  — Escucha activa y respeto. Darle su tiempo para expresarse. No cuestionar lo que nos detalla. No es fácil contar lo que ha pasado, puesto que coexisten en él, tanto el miedo al pasado como al futuro.

  — Empatía (ponerse en su lugar). Evitar juzgar. Un ejemplo sería: «entiendo que tuvo que ser muy difícil para ti vivir esa situación diariamente».

  — Ofrecer protección y acompañamiento. Hacerle ver que esto no siempre será así, ya que se va a actuar para que las cosas cambien.

  — No culpabilizarle ni reprocharle. No decirle lo que debería haber hecho y no hizo. Esto sólo provocará más malestar en el acosado y disminuirá la confianza en las figuras paternas al sentirse incomprendido.

  — Preguntas abiertas para favorecer la expresión fluida y evitar monosílabos. Por ejemplo, sustituir la pregunta ¿te pegaban en el instituto? por ¿en qué lugares te solían intimidar?

  — Ponerse en contacto de inmediato con el centro educativo al que pertenece su hijo. Mantener una reunión con el tutor, director y orientador educativo para que se tomen medidas inmediatas a nivel escolar, tanto en su clase como en el centro.

- **Disminuir los sentimientos de culpabilidad.** Alba, en una sesión comentaba: «No me he dado cuenta de lo que mi hijo estaba pasando. Soy una mala madre... Esto jamás me lo podré perdonar».

  En situaciones como éstas, los padres se sienten los máximos responsables del sufrimiento de sus hijos. Hay que trabajar para que se perdonen a sí mismos y para que entiendan que no pueden controlarlo todo, que hay otras influencias externas que no dependen de ellos.

- **Fomentar la valía personal como padres.** Hay que hacerles ver que por un problema que haya tenido su hijo, no se deben colgar la etiqueta del fracaso. En terapia, elaboramos una lista de capacidades que se tienen como padres, además de los logros que han conseguido gracias a dichas capacidades. Esto se plasma en un árbol, donde las raíces son las potencialidades, y los frutos, los logros obtenidos gracias al esfuerzo y dedicación.

- **Reducir sentimientos de ansiedad y depresión.** Cuando la pareja de la que venimos hablando llegó a consulta, concretamente en esta ocasión fue Mario, el padre, quien refirió: «No puedo describir cómo me siento. Me inundan sentimientos de tristeza, rabia, ira, impotencia y un profundo estado nervioso que me impide hasta comer y conciliar el sueño». Lo anteriormente señalado se explica por el embotamiento emocional que sufre debido al impacto de algo que era inesperado.

  Ante esto, ofrecemos un registro que consta de varias columnas relativas al pensamiento (¿qué pienso?), las emociones (¿qué siento?) y la conducta o comportamiento

(¿qué hago?), para que se cumplimente en casa. Dicho registro nos ayuda a interpretar si hay pensamientos distorsionados y qué consecuencias tiene sobre las emociones y la conducta pensar de este modo. Así, utilizamos una técnica denominada reestructuración cognitiva, con el fin de generar pensamientos más adaptativos que disminuyan el malestar de nuestros pacientes. Dicha estrategia es utilizada dentro de la terapia cognitivo-conductual para que el sujeto valore, interprete y cambie sus pensamientos irracionales por otros más adaptativos. Algunos de los pensamientos irracionales o distorsiones cognitivas que se detectaron en Alba son: «nunca debería haber tenido hijos porque no sé cuidarlos de un modo adecuado», «mi familia jamás será la misma», «la gente pensará que no he sido capaz de ver lo que le pasaba a mi hijo».

Añadido a lo anterior, trabajar técnicas de respiración, relajación e imaginación, ayuda a disminuir algunos de los síntomas fisiológicos (opresión en el pecho, respiración agitada, dolor de cabeza, angustia, nudo en el estómago...).

- **Reestructuración del clima familiar.** Se ha de hablar con los demás hermanos, dependiendo de la edad, para que también brinden su apoyo. La intervención con los hermanos dependerá de cada caso concreto; por este motivo, se valorará en consulta la idoneidad de llevar a cabo unas sesiones con ellos.
- **Asistir a terapia grupal.** Otra opción de intervención es la terapia grupal, para que los padres dispongan de un espacio de expresión emocional donde compartan sus pensamientos, emociones, dudas, creencias, etc., y se sientan comprendidos e identificados por otros padres cuyos hijos han pasado por la misma situación.

Ámbito escolar

La intervención en este ámbito es relevante a la hora de mostrar apoyo y realizar una serie de medidas para que el acosado perciba su centro educativo como un lugar cálido y de confianza. La víctima debe proseguir la escolarización en su centro, pero tiene que sentir que realmente es un entorno protector y seguro.

Cuando se conoce un caso, el tutor, junto con el orientador, deben mantener una conversación para mostrarle su apoyo y asegurarle que van a poner las medidas necesarias para protegerle al máximo y mitigar por completo las agresiones.

En el caso de Álvaro, nos pusimos en contacto con el centro, ofreciéndoles un protocolo de actuación.

Las medidas o intervenciones a tener en cuenta para conseguir los objetivos anteriores recaerán sobre varios colectivos: la clase del alumno víctima, el profesorado del centro y el grupo de acosadores que han atentado contra la víctima.

- **Clase de la víctima:** este grupo sirve de gran apoyo al acosado, ya que son las personas con las que pasa más tiempo. En ocasiones, los restantes miembros de la clase se sienten indefensos o atemorizados por lo que está ocurriendo y tienen miedo a la hora de confesarlo. Por otra parte, están los que se unen para no sufrir las mismas vejaciones que la víctima. Ante esto, el tutor deberá tener en cuenta la consecución de los siguientes objetivos:

    — Integrar al alumno acosado, otorgándole diferentes responsabilidades y funciones mitigando el rol de víctima. Por ejemplo, nombrarle delegado de la clase para dotarle de mayor autoridad y notoriedad.

— Promover la coherencia e identidad grupal con la finalidad de que se apoyen unos a otros en momentos difíciles.

— Concienciar de la importancia de la denuncia de un acoso cuando sepan que se está produciendo.

— Trabajar a nivel grupal, sentimientos de culpabilidad, miedo o desvalimiento, fomentando la capacidad de reacción ante situaciones de importancia, como el acoso. En ocasiones, personas que son conocedoras se sienten desprotegidas o desamparadas, considerándose víctimas secundarias.

— Promover un clima educativo basado en los valores de la solidaridad, el respeto mutuo, la reflexión, el pensamiento crítico y la comprensión. Esto se hace mediante trabajos grupales, generación de un consenso de normas de clase, charlas de sensibilización, visionado de películas, dramatizaciones, dinámicas de *role-playing,* debates, asambleas en el aula, dilemas morales, etc.

En uno de los institutos donde impartimos un taller de «prevención de la violencia escolar y *ciberbullying*», proyectamos la película *Bullying*. Posteriormente, tras el visionado se pidió al alumnado, a modo de debate, lo siguiente:

- Identificación de los agentes de la situación de acoso, conductas contrarias a las normas de convivencia en el centro escolar y su clasificación en función del tipo de agresión (verbal, física, social y psicológica).
- Análisis de los sentimientos, pensamientos y comportamientos de la víctima, para fomentar la empatía.
- Consecuencias de las agresiones que repercuten en la vida sociofamiliar y escolar de la víctima.

- Reconocimiento de situaciones donde existe un desequilibrio de poder, indefensión de la víctima, refuerzo de los agresores, defensa del acosado, etc.
- Análisis de antecedentes, conductas y consecuencias de cada situación violenta identificada.
- Búsqueda de comportamientos similares agresivos en nuestra clase o centro educativo y propuesta de soluciones.
- Replanteamiento de actuaciones ante situaciones de violencia similares.

- **Grupo de acosadores:** se tiene que identificar al líder y su grupo. Tal y como hemos señalado, el *bully* manipula a su grupo para que lleven a cabo sus órdenes. Por este motivo, se tiene que realizar un buen análisis de la situación mediante observación y entrevistas a los demás miembros de la clase. En este punto, las declaraciones de la víctima cobran gran relevancia.

  Los objetivos a conseguir con este colectivo son:

— Controlar la violencia mediante medidas correctivas. De esta manera, toman conciencia de que sus actos tienen consecuencias, también penales. Destacar que, si el que comete el delito es menor de 14 años, es inimputable; así tendrá que ser el centro el que imponga las consecuencias de sus actos, pidiendo perdón a la víctima, con el fin de promover la integración de la misma y mejorar su imagen pública, entre otras. En el caso de ser mayor de 14 años, edad en la que la persona se considera imputable y responsable de sus actos, se aplicará la Ley para exigir responsabilidad por la comisión de hechos tipificados como delitos o faltas en el Código Penal.

— Separar a los miembros del grupo, incluyéndoles en diferentes actividades escolares para que se relacionen con otros compañeros dentro del centro.

— Realizar intervenciones individuales con el orientador del centro para que entiendan lo que ha sucedido, sepan los posibles daños psicológicos que en la víctima han causado, aprendan a relacionarse de otro modo, trabajando habilidades sociales, comunicación asertiva, etc.

— Utilizar el método Pikas, mediante el cual se desarticula el grupo de matones, rompiendo sus vínculos y fomentando que sean los propios agresores los que ayuden a la víctima.

En otro taller impartido en un colegio sobre *bullying,* detectamos que en sexto de Primaria existía esta problemática. Por ello, llevamos a cabo este método estructurándolo en las siguientes fases:

a) Encuentro individual con cada uno de los *bullies* para tratar la problemática.

b) Entrevista con la víctima para que nos cuente su experiencia, ofreciéndole apoyo y esperanza sobre el cambio de situación.

c) Cita con los agresores para identificar estrategias de cambio en relación con la víctima.

d) Reunión de agresores y víctima con el fin de que los primeros se sinceren con la víctima y pidan perdón. La víctima también intervendrá para expresar su opinión y su deseo de que la situación se modifique.

El objetivo es que se reconcilien y se comprometan al cambio.

- **Profesorado del centro:** el director, junto con el tutor y el orientador, deben reunirse con todos los profesores para informar sobre lo sucedido y llevar a cabo medidas de actuación.

   Los objetivos serán los siguientes:

   — Aumentar la protección en lugares donde actúan los matones: patios, recreos, pasillos, aseos, etc.

   — Elaborar, conocer y administrar las medidas coercitivas que se llevarán a cabo cuando se detecte algún tipo de agresión u hostigamiento a otro compañero. En este caso, cada tutor deberá explicarlo en clase para que conozcan las consecuencias del uso de la violencia en el centro.

   — Fomentar la creación de grupos *antibullying-ciberbullying*. Estos grupos se crean a nivel de clase. Es conveniente elaborar un protocolo de actuación para que los alumnos tengan claro el procedimiento a seguir. Cada tutor lo explica en su aula con el objetivo de que todos los alumnos lo conozcan y se presenten voluntarios para conformar dicho grupo. Se reúnen asiduamente para mediar en la resolución de conflictos, mediante la negociación y cooperación.

   En este grupo, la víctima encontrará un clima de entendimiento y de ayuda ante su situación, donde se le protegerá mediante labores de acompañamiento y orientación.

   — Revisar proyectos de convivencia en el centro, para evaluar qué está fallando en las medidas actuales y proponer nuevas actuaciones.

Pondremos un ejemplo de una intervención que realizamos en un instituto. Nos reunimos con el director y el orientador, los cuales nos comentaron que habían sufrido varios casos de acoso en menos de dos años, y mostraban una gran preocupación por si volvía a repetirse. Una de las primeras cosas que nos planteamos fue revisar el proyecto de convivencia *antibullying,* ya que el director nos comentó que el que tenían estaba totalmente obsoleto. Por nuestra parte, decidimos elaborar un documento donde se describían los siguientes puntos:

— Punto del que partimos, haciendo referencia a los proyectos de convivencia existentes en el centro, la importancia que se le da a este fenómeno, las relaciones interpersonales, las medidas disponibles para hacer frente a la violencia, objetivos conseguidos y no conseguidos en el pasado e instrumentos de evaluación, para medir objetivamente el clima de convivencia.

— Meta a alcanzar. Establecimos los objetivos que queremos alcanzar, lo que necesitamos para hacerlo y la temporalización de dicha consecución.

— Camino a seguir, es decir, cómo vamos a lograr todo lo anterior. Para ello elaboramos un plan de acción con las estrategias y sus correspondientes recursos disponibles, los métodos y técnicas planificadas de antemano y la evaluación constante de lo que vamos haciendo.

— Puesta en marcha. En este apartado concretamos una serie de acciones que es necesario hacer en diferentes colectivos (profesorado, grupos/clase, tutores, orientador...) y en estructuras organizativas e institucionales.

— Retroalimentación del trabajo. Resulta esencial que cada paso que se dé o medida que se tome sea evaluada en eficacia y resultado, con el fin de crear alternativas que nos permitan conseguir lo que queremos.

Lo imprescindible en este ámbito es que el acosado sepa que no se van a tolerar más vejaciones hacia su persona. Por norma general, el medio escolar es el entorno donde se inicia la violencia, por lo que los responsables de los centros educativos deben poner los medios suficientes para atajarla y actuar de manera preventiva, tal y como hablábamos en el capítulo anterior.

Ámbito legal

Otra intervención disponible que debe tenerse en cuenta, cuando hablamos de fenómenos como *ciberbullying, grooming, sexting-sextorsión, happy slapping,* etc., es la correspondiente al campo legislativo.

Prácticas como el envío ilegal de vídeos, fotos o contenidos eróticos que vulneran el honor, la seguridad e identidad de la persona, están contemplados y penados en el ordenamiento jurídico, más concretamente en el Código Penal.

Una de las pautas de actuación que recomendamos a Mario y Alba fue denunciar los hechos a las Fuerzas y Cuerpos de Seguridad del Estado, ya que existían fotos, vídeos y comentarios despectivos, que atentaban contra la persona e intimidad de su hijo y que estaban circulando por las redes sociales.

Hay que informar de que existe este recurso, considerado de ayuda contra la difamación de contenido personal. Además, se ha de hacer conocedores a nuestros hijos y alumnos sobre las consecuencias penales que existen, para que sean conscientes de que están cometiendo un delito cuando se llevan a cabo prácticas de este tipo.

También es conveniente informar acerca de las aplicaciones existentes para denunciar contenidos ilegales que hayan observado por la red, o si es uno mismo el que está siendo acosado.

Esta denuncia es totalmente anónima y gratuita y supone un gran avance para los temas de maltrato. Su nombre es PROTÉGETE. Una de las ventajas es el rápido contacto de los menores con abogados y otros profesionales especializados en estas materias.

Otra aplicación que nos permite denunciar cualquier tipo de acoso (escolar, laboral, de autoridad, violencia de género o pedofilia) es WAVE SYSTEM. En esta aplicación se debe enviar una prueba para que la acepten como denuncia.

El hecho de que existan acciones legales contra cualquier tipo de acoso es positivo, ya que la víctima queda respaldada por la justicia.

CAPÍTULO 7

Estrategias psicológicas de intervención

En este capítulo abordaremos las principales habilidades terapéuticas que debemos utilizar como profesionales para, posteriormente, centrarnos en las estrategias psicológicas a desarrollar en el proceso de intervención.

Desde el primer contacto con nuestros pacientes nos mostraremos cercanos, huyendo de tecnicismos y ofreciendo una aceptación incondicional para así mostrarles nuestra máxima disposición con el proceso terapéutico.

A continuación, expondremos algunas habilidades terapéuticas que resultan esenciales a la hora de realizar una adecuada intervención.

CALIDEZ Y ACEPTACIÓN

La gran mayoría de los casos que nos llegan a nuestra consulta están sufriendo por algún acontecimiento vital. Es fundamental que se sientan «cómodos» delante de los profesionales para contar con un lugar de desahogo, confianza y seguridad, no percibiéndose juzgados cuando narren su testimonio.

Ricardo, al poco de «sentarse» en la consulta, comentó: «Todo el mundo piensa que soy un pervertido, estoy convencido de que cuando diga lo que he hecho, lo creerás tú también».

Nuestro paciente había difundido un vídeo de su novia en una situación comprometida. Le denunciaron y recibió numerosas amenazas por parte de la familia de ella.

Nuestra misión fue hacerle ver que estaba ante un profesional porque deseaba cambiar cosas de sí mismo. Por este motivo, se le transmitió que nosotros no somos jueces, sino que nuestra función es ayudarle en ese proceso, enseñándole determinadas herramientas o recursos terapéuticos.

ESTABLECIMIENTO DE ROLES E IMPLICACIÓN ACTIVA DEL PACIENTE

Desde el primer momento, el paciente debe tener claro que él es el principal actor de todo el proceso de recuperación.

En una de las sesiones, Julia comentaba: «Ahora que os tengo a vosotros sé que no me puede pasar nada malo. Nunca he tenido un amigo de verdad con el que compartirlo todo y pasar horas charlando. En mí también podéis confiar siempre que queráis. Mi casa está abierta para cuando deseéis venir a visitarme». Ante este tipo de creencias, hay que dejar clara la labor del psicólogo, ya que no somos amigos que van a cenar juntos o se intercambian pensamientos, sentimientos, etc. No existe una relación bidireccional, sino unidireccional, en la que el profesional es el que ofrece ayuda mediante técnicas con el fin de disminuir el malestar del paciente.

A Julia le explicamos esto con una metáfora: «Nos alegramos enormemente de que nos deposites tanta confianza. Es obvio que en todo lo que esté en nuestra mano te ayudaremos, pero tienes que saber que el camino debes andarlo tú sola, nosotros somos esa luz que puede iluminarte cuando te encuentres confusa y desorientada. Es importante que saques un gran aprendizaje para que sepas gestionar las situaciones difíciles que te aborden en un futuro, ya que sólo tú eres la dueña de tu vida y la principal responsable de tu cambio».

EMPATÍA

Este término hace referencia a la capacidad que tiene el terapeuta de ponerse en el lugar del paciente, evitando juzgar cómo piensa, siente o actúa. Como se suele decir, «mirar el mundo con las gafas del otro o ponerse sus zapatos».

Como profesionales de la psicología, debemos encajar las piezas del puzle para entender a nuestros pacientes. En este aspecto, hay que tener en cuenta variables familiares, personales, sociales, culturales, morales, religiosas... sin perder de vista los esquemas mentales de los que nacen nuestros pensamientos.

AUTENTICIDAD

Esta habilidad es imprescindible para el establecimiento de una buena alianza terapéutica. El ser auténtico no significa decir todo lo que «pasa por nuestra cabeza».

Ser auténtico es ser claro y evitar situaciones forzadas, falsas sonrisas, excesiva ironía, etc.

Seguidamente describiremos las principales estrategias terapéuticas de intervención. Iremos intercalando situaciones que se nos han dado en consulta, tanto en el proceso terapéutico de la víctima como del agresor, para que resulte más ilustrativo.

Saúl, de 13 años de edad, llegó a consulta acompañado de sus padres. Según nos relatan, hace unas semanas lo encontraron en su cuarto inconsciente después de haber tomado «pastillas» junto con alcohol, con el fin de acabar con su vida. Saúl estaba diagnosticado de un trastorno generalizado del desarrollo, llamado síndrome de Gilles de la Tourette. Dicha afectación se caracteriza por la presencia de tics vocálicos y motores. Los más característicos eran doblar el tronco bruscamente (tic motórico) y emitir un sonido parecido al ladrido de un perro (tic vocálico).

Durante casi dos años sufrió humillaciones continuas, como: introducir la cabeza en un retrete lleno de orina y de heces, comer tierra con piedras, hacer trabajos escolares para cada uno de sus acosadores, etc.

Prácticamente todos los puntos que se exponen a continuación fueron tratados en su terapia psicológica.

Ansiedad

De forma sencilla se puede entender como una respuesta emocional ante situaciones estresantes. En ella se engloban tres componentes importantes:

- **Cognitivo:** hace referencia a nuestros pensamientos.
- **Fisiológico:** engloba los síntomas corporales que sentimos ante una situación difícil de afrontar.
- **Motor:** se refiere a la conducta o comportamiento que llevamos a cabo.

Saúl aseguraba que cada mañana, nada más abrir los ojos, le venían a la mente pensamientos como: «tienes la culpa de que te estén acosando», «seguro que hoy es peor que ayer», «no mires el Facebook porque saldrá el vídeo que te grabaron ayer mientras te rapaban la cabeza» (**componente cognitivo**). «Cuanto más lo pensaba, más nervioso me ponía, empezando a sudar, sentía como si alguien me estuviera oprimiendo el pecho, vomitaba y me era imposible controlar mi respiración. Me temblaba el pulso y ni tan siquiera podía coger la taza de la leche» (**componente fisiológico**). «Lo único que quería era no ir al instituto y meterme en la cama todo el día y no saber nada de nadie» (componente motor).

En este ejemplo observamos el papel que juegan los pensamientos erróneos («tengo la culpa de que me acosen», «hoy será peor que ayer», «me merezco todo esto por ser un bicho raro»...) y la correspondiente vivencia de una emoción negativa, bloqueándonos e impidiéndonos la búsqueda de soluciones para la resolución del problema. Nuestra misión es ayudarle a romper esta espiral negativa para fomentar la búsqueda de alternativas, comenzando por los pensamientos distorsionados, con el fin de generar otros más reales, como por ejemplo: «puedo buscar ayuda y salir de esto», «no me merezco ser maltratado y tengo que hacer valer mis derechos», «las cosas pueden cambiar pero necesito ayuda de alguien de confianza», «tengo una enfermedad y no por eso debo dejar que me maltraten»... Esto último también fomentará emociones congruentes con el pensamiento, permitiendo el afrontamiento adaptativo, tanto a corto como a medio-largo plazo.

Una vez explicado lo anterior, trabajamos el aprendizaje de técnicas de control de la activación, es decir estrategias de relajación. Hay varios tipos (respiración abdominal, imaginación guiada, relajación progresiva de Jacobson, entrenamiento autógeno, etc.). Por este motivo hay que valorar cuál es la técnica adecuada para la persona que tenemos enfrente.

Expondremos dos de los ejercicios que trabajamos con Saúl al principio del tratamiento, ya que la sintomatología fisiológica que detectamos era muy elevada:

- **Respiración diafragmática.** Le aportamos información sobre el papel tan determinante de la respiración a la hora de sentirnos tranquilos. Realizamos unos ejercicios para que la respiración fuese abdominal, mediante un sencillo ejemplo: «Cerramos los ojos, cogemos aire por la nariz, lentamente, y lo llevamos hasta nuestra barriga para inflarla como si fuera un globo, poco a poco. Cuando cuente hasta tres, expulsamos el aire por la boca, lentamente, notando cómo la barriga se desinfla, uno, dos y tres».

- **Concienciación de sensaciones corporales.** Éste es uno de los «juegos» que solemos usar cuando el paciente es niño o adolescente. Le llamamos *«Start-stop»*. Damos determinadas instrucciones al sujeto para que diferencie entre la actividad corporal y la tensión producida por la misma y la inhibición del movimiento y la relajación de los miembros del cuerpo. Solemos invitar a la persona a que realice una determinada acción, por ejemplo dar cinco saltos seguidos, tensando determinados grupos de músculos. Así, se centra en las sensaciones de activación corporal para después focalizar la atención en la relajación que siente en dichos grupos musculares.

En los casos de acoso, tanto si hablamos de víctima como de agresor, existe un componente ansioso desencadenado por los pensamientos anticipatorios hacia el futuro, por esa incertidumbre al pensar cuál será su lugar después de lo acontecido.

Estado anímico

Como hemos visto en el apartado anterior, nuestros pensamientos determinan cómo nos sentimos y actuamos. La interpretación de lo vivido es la base para desencadenar una emoción u otra; por ello, las personas ante una misma situación reaccionan de manera diferente.

Veamos el siguiente ejemplo que utilizamos con pacientes jóvenes.

Sacamos un ocho en matemáticas. Para quien haya estudiado durante horas, será insuficiente, ya que buscaba el sobresaliente y no lo ha obtenido. Esta persona puede pensar que es una fracasada, se sentirá decepcionada por no haber alcanzado su objetivo, se irá llorando a casa e incluso se encerrará en su cuarto sin querer ver a nadie.

La persona que iba buscando un cinco porque no estudió demasiado y lo que quería era simplemente aprobar, pensará que es muy afortunada, se sentirá contenta, alegre y llamará a un amigo para ir a celebrarlo.

Existe una figura relevante en el campo de la psicología, y más concretamente en relación al papel que juegan los pensamientos: Aron T. Beck. Dicho autor introdujo el concepto «tríada cognitiva», que se refiere a la visión que se tiene de sí mismo, del mundo y del futuro.

Miguel nos fue derivado de un centro escolar. En este caso había sido el cabecilla de un grupo que había acosado e intimidado mediante redes sociales a una chica que, al final, acabó «quitándose la vida».

La visión que tenía de sí mismo la reflejaba así: «Soy un criminal, deberían meterme en la cárcel por lo que he hecho, no pensaba que le estaba haciendo tanto daño, como para que se quitase la vida. Soy tonto, sólo veía las teclas del ordenador y la pantalla y no pensaba en el sufrimiento que había detrás».

La visión del mundo la concretaba de este modo: «Los demás no valen para nada. Nadie me avisó de las consecuencias que esto que hacía podría generar. La gente se reía y apoyaba los vídeos y comentarios que ponía. Jamás confiaré en nadie».

Su pensamiento sobre el futuro era: «Para mí, nada tiene ni tendrá sentido ya. Seré señalado, siempre, como un asesino».

Si tenemos en cuenta los pensamientos anteriores, además del profundo sentimiento de culpabilidad, soledad, desesperanza y autodecepción, junto con el desinterés por relacionarse, el profundo malestar y enfado consigo mismo, podríamos asegurar que existe un cuadro depresivo para el cual tomamos medidas en la intervención.

Utilizamos la reestructuración cognitiva, técnica que fue descrita en el capítulo anterior, a la par de lo que llamamos «activación conductual» o «enriquecimiento ambiental de reforzadores». Ambas técnicas consisten en buscar actividades que él antes consideraba gratificantes y le producían placer. Hicimos una lista, poniendo puntuación a cada una en función de cuánto le gustaban del uno al diez. De este modo, nos marcamos cuándo y cómo hacerlas, de manera progresiva. Pasadas unas semanas, identificamos ligeras mejoras en su estado de ánimo.

Reconocimiento, expresión, afrontamiento de emociones y percepción social

Cuando nos llega un paciente a consulta, en ocasiones, se detecta un «bloqueo emocional». Se trata de la incapacidad de expresar lo que piensa, porque no sabe, o no puede hacerlo, por algún motivo concreto. A veces, manifiestan cómo se sienten mediante violencia física, verbal, llanto, silencio absoluto, etc.

En cualquier caso, exista este bloqueo o no, hay que trabajar para que el paciente sea capaz de detectar emociones en sí mismo y en el otro, aprendiendo a aceptarlas, entenderlas y gestionarlas.

Uno de los ejercicios que trabajamos con Saúl y que ayudó a liberar bloqueos fue la identificación de emociones. Al principio hablamos de manera distendida de lo que eran, los tipos que existían y que buscara las que había vivido últimamente. De esta forma, se hizo consciente de la importancia de la relación entre situación y sentimiento. En esta sesión, se le sugirió la realización de un autorregistro para que lo completara durante la semana, con el fin de conocer qué tipo de emociones sentía y qué acontecimientos eran los desencadenantes de éstas.

En el caso de Miguel, el paciente *bully* que citábamos anteriormente, el *shock* era tal que, al principio, era incapaz de hablar del tema, ni de sus emociones. Se empezó a trabajar mediante vídeos, noticias de periódicos o imágenes concretas para que fuese reconociendo las emociones que desencadenan determinados hechos. Esta técnica nos permitió, poco a poco, introducirnos en «su mundo interior», con el objetivo de ayudarle a expresar su rabia, ira, miedo o vergüenza (emociones que identificó como las más prevalentes).

Éstas son algunas de las técnicas que utilizamos al inicio de la terapia. Posteriormente, elegimos un programa de educación emocional confeccionado por nosotros mismos, donde se va ayudando al paciente a conocer «el mundo emocional propio y de los demás» mediante fichas de trabajo en consulta y en casa. Dichas fichas están compuestas por una serie de ejercicios prácticos, dilemas morales para el reconocimiento de emociones, reflexión sobre sentimientos que desencadenan determinadas historias, planteamientos de actuación ante situaciones concretas... Además, incluimos breves orientaciones, consejos y reflexiones sobre la importancia de canalizar los sentimientos de forma adecuada y cómo hacerlo.

Uno de los objetivos terapéuticos que establecimos con Miguel, el paciente agresor, fue mejorar la percepción social mediante la interpretación de actitudes emocionales. Así, aprovechamos este propósito para fomentar la empatía, ya que presentaba un serio deterioro en dicha capacidad.

Para trabajar lo anterior, elaboramos varias historias relacionadas con su caso, donde existían varios personajes que actuaban de manera diferente. De este modo, se le proponía el análisis de cada uno de los que formaban parte de la historia, reconociendo expresiones emocionales (se crearon tarjetas para que relacionase la expresión facial y corporal con lo que sentía el personaje), sentimientos, conductas altruistas o hirientes, consecuencias derivadas de sus actos, y, por último, se le proponía que eligiese un personaje y dijese el porqué de su elección. De este modo, cuando realiza dicha elección, se puede valorar cómo piensa y actúa ante situaciones críticas, dejándonos ver cuáles son los esquemas cognitivos que posee.

Autoestima y autoeficacia percibida

Ambas están íntimamente relacionadas y afectadas, tanto en la víctima como en el acosador.

La autoestima se refiere a cómo nos valoramos y queremos. En terapia enseñamos a desarrollarla de la manera más positiva y realista posible, permitiendo que el paciente descubra sus recursos personales, así como sus deficiencias, con el fin de aceptarlas y aprender a vivir con ellas, y en el caso que sea posible tratar de mejorarlas.

De una manera simplista, pero ilustrativa para que lo entendamos, podemos tener dos imágenes de nosotros mismos:

- **Negativa.** Sólo se fijan en los déficits, en sus propias limitaciones o en aquello que les falta. Se subestiman ante los demás.
- **Positiva.** Se perciben con sus potencialidades y carencias, con sus éxitos y fracasos y lo aceptan.

Para el desarrollo de una adecuada autoestima es importante transmitir cariño, confianza, etc. Para dicha labor, tanto los padres como los maestros tienen un papel determinante. La autoestima no sólo se forma con lo que uno piensa de sí mismo, sino también influye lo que los demás nos transmiten.

Una de las estrategias que utilizamos es que nuestros pacientes identifiquen los aspectos positivos, lo cual no quiere decir que se elogie todo lo que haga, ya que si comete errores es importante que los reconozca, pero desde una perspectiva constructiva, es decir, para aprender de ellos.

Otra de las técnicas que utilizamos en terapia es la «programación de actividades dominio». Consiste en buscar actividades en las que haya una alta probabilidad de éxito, ofreciendo al sujeto una sensación de control y aumentando así la confianza en sus acciones. Esto permite que la persona obtenga recompensas y se refuerce su valía y cualidades. Todo esto le permitirá aumentar la sensación de autoeficacia y la valoración de sus actos como positivos.

Tanto con Saúl como con Miguel, utilizamos otra técnica llamada «el árbol de la autoestima». Se les facilita un dibujo, siendo la tarea escribir en las raíces las capacidades que tienen y que les han ayudado a conseguir ciertos logros, que en el dibujo serían los frutos. Saúl eligió como una de sus capacidades la constancia, y como logros refirió el sacar buenas notas y ser un buen deportista.

El hecho de que recuperen la confianza en sí mismos y se perciban como personas eficaces y competentes, fue uno de los objetivos que nos marcamos en ambos tratamientos.

Habilidades sociales y asertividad

En todos los casos que hemos tratado en nuestra consulta en relación con el maltrato, ya sea agresor o víctima, hemos considerado necesario trabajar las habilidades sociales, las cuales son la base primordial de las interacciones.

Dichas habilidades se entienden como los comportamientos interpersonales, ya sean verbales o no verbales, a través de los cuales las personas condicionan y determinan la respuesta de los individuos a los que se dirigen (amigos, hermanos, maestros, profesores, familiares, etc.) y la capacidad que tienen esas personas para acatar un papel en la sociedad, siendo capaces de cumplir las normas que ésta impone.

En función de si estas habilidades son adaptativas y contribuyen a un correcto desarrollo social del niño o adolescente en su relación con los demás, podemos hablar de comportamientos asertivos. Cuando lo anterior no sucede, hablamos de conductas pasivas o agresivas.

Ofreceremos una breve explicación sobre estos tres conceptos:

- **Comportamiento pasivo:** tendencia a que se violen, ignoren o destituyan los derechos, pensamientos, sentimientos o creencias de uno mismo. La persona se somete a las decisiones del otro sin defender su punto de vista por miedo, adoptando un papel de sumisión. Quienes se comportan de esta manera tienen baja autoestima y autoconcepto, mostrándose vulnerables y con tendencia al retraimiento social.

  Saúl, nos refería: «Todo lo que decía me lo tiraban por tierra o simplemente se reían de mí, y por eso dejé de hablar, por miedo a hacer el ridículo. Así, para que no me pegaran más, opté por hacer cada cosa que me ordenaban, sin plantearme si estaba bien o mal, dado que era lo que menos me importaba».

  Con Saúl trabajamos la adquisición de comportamientos asertivos, con la finalidad de hacer valer su opinión y derechos.

- **Comportamiento agresivo:** caracterizado por la imposición de su punto de vista. Consideran que sus pensamientos, creencias o valores son los más importantes y los que deben imperar y sobresalir en las relaciones con los demás.

Las actitudes características de esta clase de comportamiento son de desafío y dominio, impidiendo o ignorando la opinión, creencia o deseo del otro. El tono con el que se dirigen al otro es despectivo, intimidante y ofensivo. Son personas con comportamientos egocéntricos y que tratan de manipular en las relaciones interpersonales.

Este perfil lo vimos reflejado en Miguel. Se detectó que era un chico agresivo, poco colaborador y con un comportamiento dirigido al exterior *(acting out),* es decir, con un patrón de conducta caracterizado por la ira y el hostigamiento, acompañado de pensamientos negativos relacionados con la violencia hacia los demás, e incumplimiento de las normas sociales.

Al igual que Saúl, Miguel tenía déficits en sus habilidades interpersonales, pero éste cumplía con el perfil agresivo. A pesar de esta diferencia, nos encontramos que los agentes principales en una situación de acoso tienen de base un problema común a la hora de interactuar y llevar a cabo relaciones afectivas sanas y recíprocas, ya sea por sumisión (en el caso de la víctima) o dominio (en el caso del agresor).

Miguel refería cuando se le preguntaba por sus amistades: «A mí me basta con que mis colegas hagan lo que digo. Si alguien no está de acuerdo con lo que propongo, que ni me mire porque le meto una paliza. Odio que me lleven la contraria. Tienen que entender que si quieren estar en mi pandilla, tienen que acatar mis reglas y que ni se les ocurra violarlas, porque se las verían conmigo, y créeme que puedo arruinarles la vida si me lo propongo».

- **Comportamiento asertivo:** es el considerado idóneo en las relaciones interpersonales. La persona que se comporta de este modo, escucha y valora los sentimientos, opiniones, pensamientos y creencias del otro. La relación de interacción se basa en la cooperación o negociación, intentando llegar a una respuesta efectiva que influya de manera positiva en sus relaciones. Su forma de dirigirse a los demás es directa, positiva, no punitiva y sincera, puesto que expresa su punto de vista, respetando el de los demás. Uno de los esquemas que se trabajó con Saúl para que aprendiese a valorar y exponer sus criterios, después de haberle explicado la diferencia entre los tres comportamientos y haber reconocido cuál era el que él utilizaba, fue el siguiente:

> **«Cuando tú...»** *(Exponemos el comportamiento).*
>
> **«Me siento...»** *(Expresamos el sentimiento).*
>
> **«Porque...»** *(Hacemos referencia a la consecuencia).*
>
> **«Te pido, por favor, que...»** *(Establecemos la petición).*

Así, se pusieron como ejemplo varias situaciones, en las que el chico tenía que hacer uso del anterior esquema para lograr la interiorización de los pasos, hasta conseguir que se convirtiera en una habilidad social. Además, se le recomendó una serie de ejercicios, con el fin de generalizar los conocimientos adquiridos en sesión a las situaciones vividas en su día a día.

Junto con lo anterior, nos planteamos entrenar las siguientes conductas básicas: contacto visual, postura corporal, afecto adecuado con lo que se expresa, volumen de voz, expresiones gestuales, exposición de un problema, afirmar que se está en desacuerdo y propuesta de un cambio que considere oportuno, expresión de deseos, etc.

La secuencia de técnicas que seguimos para instaurar o mejorar los comportamientos sociales, con el objetivo de aumentar la probabilidad de que la conducta ocurra, son:

— Explicación de las instrucciones: se informa a la persona de cuáles son los comportamientos específicos que se requieren y cómo llevar a cabo los pasos para conseguir una conducta determinada. Así, descomponemos la actuación meta en submetas, con el fin de facilitar el proceso de aprendizaje.

— Modelaje: se busca un modelo que ejemplifique la situación que el individuo más tarde llevará a cabo. En consulta utilizamos vídeos o, en la mayoría de ocasiones debido a su gran eficacia, somos los propios terapeutas los que actuamos para que aprendan mediante aprendizaje vicario o por observación.

— Ensayo previo y puesta en marcha de la conducta: al principio es conveniente desglosar las actuaciones más complejas en otras más simples para, posteriormente, combinarlas. Por ejemplo, con Miguel empezamos a trabajar expresiones faciales, contacto ocular, manejo corporal, ya que era un adolescente que se caracterizaba por su mirada desafiante y su rigidez corporal. Tras conseguir que lo anterior cambiase, se añadieron sencillas frases de acercamiento positivo al otro, así trabajamos los elogios con mensajes como: «me ha parecido muy interesante lo que has leído hoy en clase», «el gol que metiste ayer fue impresionante»...

El terapeuta y el paciente actúan mediante *role-playing,* técnica que permite escenificar una situación real, pero de manera ficticia.

— Retroalimentación/evaluación de la conducta: la persona recibe información acerca de la ejecución que ha llevado a cabo. Es importante transmitirle qué ha hecho de forma correcta, qué ha de mejorar, cómo hacerlo y qué aspectos podríamos cambiar.

— Reforzamiento social: éste es uno de los considerados más potentes a la hora de instaurar determinados estilos de comportamiento, ya que intensifica los efectos del aprendizaje. Este tipo de elogio es importante en el inicio, aunque las aproximaciones sucesivas a la conducta-meta no sean todavía tan positivas como sería esperable. El terapeuta elogiará los logros conseguidos, aunque existan deficiencias o aspectos a mejorar, en lugar de recriminar lo que no ha sido correcto.

Estrategias cognitivas de resolución de problemas interpersonales

Muchos de los conflictos interpersonales aparecen y se mantienen por el déficit en estrategias de resolución de problemas. Desde edades tempranas el conflicto existe, pero ¿nos enseñan a afrontar estas situaciones?

Saúl en una sesión comentaba: «Cuando estoy en una situación de alta tensión, me bloqueo, me cuesta pensar con claridad y me espero a llegar a casa y relajarme. Cuando llego y me tumbo en la cama, no soy capaz de pensar en actuar de otra forma, sabiendo que al día siguiente va a ocurrir lo mismo. Por eso he estado tanto tiempo sufriendo porque no era capaz de cambiar las cosas».

En la terapia con Saúl trabajamos una serie de pasos que le facilitasen la resolución de problemas.

- **Reconocimiento de cuando existe un problema y en qué consiste:** se recomienda realizar una descripción detallada de todo lo que envuelve el problema (personas, situaciones, lugares, etc.) para tener un mayor control de la situación.
- **Generación de posibles soluciones:** se escriben todas y cada una de las que le vengan a la mente, sin despreciar ninguna por disparatada que parezca. Esta técnica la llamamos «lluvia de ideas o *brainstorming*».
- **Búsqueda de consecuencias de cada solución:** valorará tanto lo negativo como lo positivo que puede acontecer al poner en práctica cada una de las alternativas propuestas.
- **Elección de la que considere más acertada y puesta en práctica de la misma.**
- **Valoración del éxito o del fracaso obtenido:** en caso de que la persona no haya elegido correctamente, pondrá en marcha otra de las soluciones evocadas. De lo contrario, sólo le queda sentirse orgulloso por haber sido capaz de solucionar su problema.

Hemos recogido algunas de las cuestiones que trabajamos con este tipo de casos, pero por su complejidad y el elevado volumen de áreas a intervenir, el lector podrá detectar que hay otros temas de gran relevancia que no aparecen y que, en muchos pacientes, son motivo de intervención. Algunas de esas cuestiones son: cómo abordar el sentimiento de culpa, la fobia escolar, el trastorno por estrés postraumático, problemas alimentarios (anorexia y bulimia), crisis de ansiedad, etc. En cualquier caso, hemos expuesto intervenciones específicas que están en la base de muchos de los problemas citados.

CAPÍTULO 8
Filmografía: el acoso escolar en el cine

EVIL (ONDSKAN)

Año	2003
País	Suecia
Duración	114 minutos
Dirección	Mikael Håfström
Producción	Svenska Filminstitutet / Moviola
Guión	Mikael Håfström (AKA Mikael Hafström), Hans Gunnarsson (Novela: Jan Guillou)
Música	Francis Shaw
Fotografía	Peter Mokrossinski
Reparto	Andreas Wilson, Henrik Lundström, Gustaf Skarsgard, Linda Gyllenberg, Marie Richardson, Jesper Salén, Johan Rabaeus, Kjell Bergqvist

Sinopsis: nominada a mejor película de habla no inglesa en 2003, narra cómo Erik, un adolescente de 16 años, es expulsado del instituto por conductas violentas e incumplimiento de las normas. Tras este hecho, su madre, cuyo novio maltrata a su hijo, decide internarlo en uno de los colegios privados más estrictos que existen en Suecia.

Al llegar allí, Erik observa que prima la autoridad, el totalitarismo y la disciplina rígida y estricta. La autoridad es ejercida por el más fuerte, tratándose en este caso de un grupo de jóvenes mayores que él. Éstos harán cumplir las normas con castigos físicos y vejaciones de todo tipo.

El protagonista decide adoptar una actitud pasiva para evitar problemas, pero aun así, el grupo de matones le provoca para desatar que éste actúe en contra de las normas.

A pesar de todo, sigue manteniendo una postura de indiferencia ante las provocaciones, hasta que su paciencia llega al límite.

En el desenlace final ocurren cosas inesperadas, cambios en el rol de actuación, etc.

KLASS (THE CLASS)

Año	2007
País	99 minutos
Duración	Estonia
Dirección	Ilmar Raag
Producción	Amrion
Guión	Ilmar Raag
Música	Timo Steiner, Paul Oja, Pärt Uusbeerg
Fotografía	Kristjan-Jaak Nuudi
Reparto	Vallo Kirs, Pärt Uusberg, Paula Solvak, Margus-Prangel, Tiina Rebane, Merle Jääger, Leila Säälik, Lauri Pedaja, Marje Metsur

Sinopsis: Joseph es un adolescente con déficits en sus habilidades sociales: reservado, melancólico y retraído. Además, no cuenta con una mínima destreza para los deportes, por lo que es un «blanco fácil» para los matones del instituto.

Cada vez son más constantes y frecuentes las humillaciones y el hostigamiento que el protagonista sufre. Asociado a esto, su vida se va desmoronando y careciendo de sentido. Cuando Joseph no puede más y se encuentra profundamente desesperado, llega a su vida Kaspar, un aliado que aparece en el momento oportuno. Ahora no está solo, por lo que ambos piensan en un plan de ataque, con la finalidad de vengarse de todo el sufrimiento causado sin provocación alguna.

DESPUÉS DE LUCÍA

Año	2012
País	México
Duración	102 minutos
Dirección	Michel Franco
Producción	Lemon Films
Guión	Michel Franco
Música	José Miguel Enríquez
Fotografía	Chuy Chávez
Reparto	Tessa la, Hernán Mendoza, Gonzalo Vega Sisto, Tamara Yazbek Bernal, Paloma Cervantes, Juan Carlos Barranco, Francisco Rueda, Diego Canales, José María Torre Hütt, Carmen Beato, Marco Treviño, Mónica del Carmen

Sinopsis: nominada a mejor película hispanoamericana en 2012 en los premios Goya.

Tras la muerte de su madre, Alejandra se traslada a México D.F. con su padre, el cual se encuentra muy afectado por el fallecimiento de su esposa debido a un accidente de tráfico. Aun así éste se esfuerza en iniciar un negocio hostelero en la nueva ciudad.

Por su parte, Alejandra deberá adaptarse al instituto y a sus nuevos compañeros de clase. Al principio todo va bien, conoce a un grupo de amigos con los que comparte planes y asiste a fiestas. En una de éstas, tras haber consumido alcohol, la protagonista decide mantener relaciones sexuales con el chico más popular del grupo, mientras éste lo graba con su móvil. Después de este hecho y de que el vídeo fuese difundido a sus compañeros de instituto, empieza a recibir constantes insultos y durísimas vejaciones.

Finalmente, un viaje que realizan con el instituto fue considerado la ocasión perfecta para escapar de la terrible pesadilla que estaba sufriendo.

CARRIE

Año	2013
País	Estados Unidos
Duración	99 minutos
Dirección	Kimberly Peirce
Producción	Screen Gems (Sony)
Guión	Roberto Aguirre-Sacasa
Música	Meghan Currier
Fotografía	Thinkstocks Photos
Reparto	Chloe Moretz, Julianne Moore, Judy Greer, Portia Doubleday, Gabriella Wilde, Alex Russell, Max Topplin, Michelle Nolden, Cynthia Preston, Connor Price, Ansel Elgort, Skyler Wexler, Zoë Belkin, Samantha Weinstein, Mouna Traoré

Sinopsis: Carrie White era una chica introvertida y con pocos amigos en el instituto. Su madre, refugiada en la religión, la sobreprotegía, impidiéndole hacer las cosas típicas de su edad.

Todo empezó cuando Carrie mientras se duchaba después de una clase de gimnasia comenzó a sangrar. A ella nadie le había explicado el tema de la menstruación y se asustó enormemente. Ése fue el desencadenante, ya que todas las chicas comenzaron a tirarle tampones y compresas, siendo este hecho grabado y colgado en la red por la cabecilla más popular del instituto.

Tras distintas humillaciones que sufre la víctima, la trama toma un giro por algo que nuestra protagonista tiene oculto.

COBARDES

Año	2008
País	España
Duración	89 minutos
Dirección	José Corbacho y Juan Cruz
Producción	Filmax
Guión	José Corbacho y Juan Cruz
Música	Pablo Sala
Fotografía	David Omedes
Reparto	Eduardo Garé, Eduardo Espinilla, Elvira Mínguez, Paz Padilla, Lluís Homar, Antonio de la Torre, Ariadna Gaya, Javier Bódalo, María Molins, Eduardo de la Torre, Carla Tous, Francisco Vidal, Gorka Zuberdia, Albert Baullies, Blanca Suárez

Sinopsis: Gaby es un chico de catorce años que es acosado por un grupo en el instituto por el simple hecho de ser pelirrojo, «zanahorio» es el mote que utilizan para dirigirse a él. El grupo de acosadores está liderado por Guille, un chico aparentemente educado, listo, deportista y responsable.

Tras sufrir numerosas humillaciones, la víctima decide actuar. Los acontecimientos toman otra dirección, perdiendo el miedo a sus matones.

CIBERBULLY

Año	2011
País	Canadá
Duración	88 minutos
Dirección	Charles Binamé
Producción	Muse Entertainment Enterprises/Disney ABC Family
Guión	Teena Booth
Música	James Gelfand
Fotografía	Pierre Gill
Reparto	Emily Osment, Kay Panabaker, Meaghan Rath, Kelly Rowan, Jon McLaren, Robert Naylor, Caroline Redekopp, Nastassia Markiewicz, Jade Hassouné

Sinopsis: Taylor es una adolescente a la que le encanta chatear con sus amigas en la red y está dispuesta a conocer gente a través de este medio. Sus padres están separados, viviendo con su madre y hermano menor.

Para su cumpleaños recibe como regalo un ordenador portátil, el cual tiene en su habitación y puede disponer de él cuando quiera.

Muy ilusionada, crea un perfil en una red social que carece de límites y con menos restricciones que otras. Las cosas se empiezan a complicar cuando alguien crea una cuenta falsa para suplantar la identidad de un chico comprensivo e interesante. Paralelo a esto, Lindsay, una chica muy popular del instituto, junto con su pandilla, se dedican a insultar por la red tanto a Taylor como a sus amigas.

Inesperadamente, el chico con el que la protagonista suele chatear, escribe en el muro que Taylor ha mantenido relaciones sexuales con él y le ha pegado la gonorrea. A partir de esto, los comentarios de todas las personas en la red son humillantes y despectivos.

La trama lleva a situaciones dramáticas, llegando a ser el tratamiento que recibe un acicate para enfrentarse a estas situaciones.

Bibliografía de consulta

Teruel, J. (2007). *Estrategias para prevenir el bullying en las aulas.* Madrid: Pirámide.

En este libro encontramos herramientas para llevar a cabo una labor preventiva en las aulas, con la finalidad de que no se produzcan situaciones de acoso en los centros escolares. Además, ofrece pautas de actuación para los colectivos de padres y profesores, como principales responsables del tema.

Cerezo, F., Calvo, A. R. y Sánchez, C. (2011). *Intervención psicoeducativa y tratamiento diferenciado del bullying: concienciar, informar y prevenir.* Madrid: Pirámide.

Nos muestra una propuesta práctica de prevención y tratamiento ante la violencia escolar, de aplicación coordinada por parte de la institución, padres, profesorado y alumnado. Dicha propuesta se lleva a cabo gracias al desarrollo del programa CIP (concienciar, informar y prevenir).

Garaigodobil, M. y Martínez-Valderrey, V. (2014). *Programa de intervención para prevenir y reducir el ciberbullying.* Madrid: Pirámide.

En dicho manual se presenta un programa de intervención para prevenir y reducir el *ciberbullying,* desarrollando estrategias de resolución de conflictos, fomentando valores prosociales, trabajando la empatía, la autoestima, etc.

Garaigodobil, M. y Oñederra, J. A. (2010). *La violencia entre iguales: revisión teórica y estrategias de intervención.* Madrid: Pirámide.

Ofrece amplia información teórica sobre la violencia entre iguales, las causas y las posibles consecuencias que pueden desencadenarse en los agentes de una situación de acoso. Además, se exponen teorías explicativas sobre la agresividad, prevalencia existente del fenómeno, así como la descripción de indicadores que pueden alertar de un posible caso de acoso escolar.

Direcciones de interés

— **Fundación ANAR**
http://www.anar.org/

La Fundación de Ayuda a Niños y Adolescentes en Riesgo es una organización sin ánimo de lucro. Mediante una línea telefónica totalmente gratuita se dedica a ofrecer ayuda psicológica, social y jurídica a menores de edad que se encuentran en situaciones problemáticas.

— **Asociación Española para la Prevención del Acoso Escolar**
www.acoso-escolar.es

La Asociación cuenta con un equipo multidisciplinar de profesionales, cuyas actuaciones van dirigidas a prevenir, evaluar y tratar cualquier tipo de acoso al que puede verse expuesto una persona. Además, se imparten cursos intensivos con el objetivo de favorecer comportamientos dirigidos a la resolución sin violencia de los conflictos.

— **Pantallas Amigas**
http://pantallasamigas.net/

Se trata de una página web que tiene como objetivo promocionar el buen uso de las nuevas tecnologías previniendo el acoso a través de las redes sociales. Además, ofrecen recursos educativos y materiales didácticos para enseñar a hacer un buen uso a los menores de edad de dichos recursos. Encontramos otros servicios como: ayuda a padres, apoyo al colectivo de profesores, denuncia *online,* etc.

— **Organización Protégeles**
http://www.protegeles.com/

Se trata de una entidad sin ánimo de lucro, constituida en el año 2002. Su objetivo es hacer de las nuevas tecnologías herramientas seguras y de buen uso. Tiene cuatro líneas principales de actuación: ayuda, denuncia, intervenciones educativas y creación de espacios seguros.

— **Teléfonos de ayuda-Kiddia**
http://www.kiddia.org/telefonos-de-ayuda

Kiddia ofrece teléfonos en función de la problemática del menor. Éstos son: de notificación de situaciones de maltrato infantil, del menor, de información general en materia de infancia y de información sobre menores y TIC. También incluyen ayuda y orientación para la intervención en casos de «tecnoadicciones».

— **Kids and teens online. Niños y adolescentes en Internet**
http://kidsandteensonline.com/

En esta página de la red, se ofrecen numerosos *post* sobre Internet, *smartphones,* social *networks, tablets,* videojuegos, etc., y su uso correcto, acompañados, algunos de ellos, de recomendaciones o pautas de actuación beneficiosas para evitar acoso mediante las nuevas tecnologías. Existen números de la revista *Nativos digitales,* donde el visitante de la página tiene acceso a ellas, pudiéndoselas descargar.

— **Oficina de Seguridad de Internauta (OSI)**
http://www.osi.es/proteccion-de-menores/

En esta oficina se proporciona información veraz acerca de los posibles riesgos que existen al navegar por la red. No obstante, asesoran y resuelven problemas de seguridad que existen al hacer uso de Internet, promoviendo la ciberseguridad de los internautas mediante herramientas que ofrecen en su página web.

— **Ciberbullying: guía de recursos para centros educativos**
http://portaljove.apda.ad/system/files/guia_ciberbullying.pdf

Esta guía expone recursos educativos para los equipos directivos y tutores de los centros escolares, ofreciendo información sobre el fenómeno de acoso en las redes sociales, además de un protocolo de actuación, tanto para padres como para profesores.

— **Denuncia-online.org**
http://www.denuncia-online.org/denuncia-bullying.shtml

Los internautas, gracias a esta página web, pueden denunciar toda clase de delitos detectados o riesgos en la red (amenazas, fraudes, suplantación de identidad, pornografía infantil, pederastia, acoso entre menores...). Se ofrecen artículos, consejos, exposición de casos de las temáticas anteriormente citadas, etc.

— **Asociación Mobbing Madrid**
www.mobbingmadrid.org/

Asociación sin ánimo de lucro en la comunidad de Madrid, que pone a disposición del afectado numerosos servicios, desde asesoramiento jurídico y psicológico, contando en este último caso con procesos de valoración y de terapia individual y de grupo. Además, en la página web se exponen artículos de acoso laboral, para ofrecer una información actualizada relacionada con el tema.

TÍTULOS PUBLICADOS

ABORDAJE TERAPÉUTICO GRUPAL EN SALUD MENTAL, *I. Gómez Jiménez (Dir. y Ed.) y L. Moya Albiol (Ed.).*

AMANDO SIN DOLOR, DISFRUTAR AMANDO, *F. Gálligo Estévez.*

ANSIEDAD SOCIAL, *M.ª N. Vera Guerrero y G. M.ª Roldán Maldonado.*

APOYO PSICOLÓGICO EN SITUACIONES DE EMERGENCIA, *J. M. Fernández Millán.*

BULIMIA NERVIOSA, *I. Dúo, M.ª P. López, J. Pastor y A. R. Sepúlveda.*

BULLYING, CIBERBULLYING Y SEXTING, *J. A. Molina del Peral y P. Vecina Navarro.*

LOS CONFLICTOS, *J. M. Fernández Millán, y M.ª del M. Ortiz Gómez.*

CLAVES PARA APRENDER EN UN AMBIENTE POSITIVO Y DIVERTIDO, *B. García Larrauri (dir.).*

CÓMO POTENCIAR LAS EMOCIONES POSITIVAS Y AFRONTAR LAS NEGATIVAS, *C. Maganto Mateo y J. M.ª Maganto Mateo.*

CÓMO SOBREPONERSE A LA ANSIEDAD, *I. Zych.*

COMPRENDER LA ANSIEDAD, LAS FOBIAS Y EL ESTRÉS, *J. Rojo Moreno.*

LA COMUNICACIÓN PARA PAREJAS INTELIGENTES, *R. Roche Olivar.*

DEJE DE SUFRIR POR TODO Y POR NADA, *R. Ladouceur, É. Léger y L. Bélanger.*

DISCAPACIDAD INTELECTUAL EN LA EMPRESA, *A. de la Herrán Gascón y D. Izuzquiza Gasset.*

EL DUELO Y LA MUERTE, *L. Nomen Martín.*

EDUCACIÓN SOCIAL Y ATENCIÓN A LA INFANCIA, *M. Fernández Navas, J. M. Fernández Millán y A. Hamido Mohamed,*

EDUCACIÓN VOCAL, *M.ª J. Fiuza Asorey.*

EMOCIÓNATE, *A. Soldevila.*

ENSEÑAR EN LA UNIVERSIDAD, *M. Brauer.*

EL ESTRÉS EN CUIDADORES DE MAYORES DEPENDIENTES, *M.ª Crespo y J. López.*

FORMACIÓN DE FORMADORES, *P. del Pozo Delgado.*

GUÍA PRÁCTICA PARA EL MANEJO DE LA ESQUIZOFRENIA, *E. Aznar Avendaño y Á. Berlanga Adell.*

GUÍA DE TÉCNICAS DE TERAPIA DE CONDUCTA, *A. Gavino Lázaro.*

HABILIDADES DEL TERAPEUTA DE NIÑOS Y ADOLESCENTES, *A. Fernández-Zúñiga Marcos de León*

INICIATIVA PERSONAL, *A. Lisbona y M. Frese.*

LA INFERTILIDAD, *Y. Gómez, R. Antequera, C. Moreno, C. Jenaro, A. Ávila y B. Hurtado.*

INFERTILIDAD Y REPRODUCCIÓN ASISTIDA, *Y. Gómez Sánchez, F. J. de Castro Pita, R. Antequera Jurado, C. Moreno Rosset, C. Jenaro Río y A. Ávila Espada.*

LIBERARSE DE LAS APARIENCIAS, *M.ª Calado Otero.*

MANUAL DE LA ENTREVISTA PSICOLÓGICA, *C. Perpiñá (coord.).*

MENTE ACTIVA, *M. Fernández Prieto, A. da C. Soares Sampaio, M.ª Lens Villaverde y J. M. Mayán Santos.*

MUJERES VÍCTIMAS DE LA VIOLENCIA DOMÉSTICA, *F. J. Labrador Encinas, P. de Luis, R. Fernández-Velasco y P. Paz Rincón.*

PEQUEÑO TRATADO DE MANIPULACIÓN PARA GENTE DE BIEN, *J.-L. Beauvois y R.-V. Joule.*

LA PERSUASIÓN, *J. Borg.*

PLAN ESTRATÉGICO PERSONAL, *M. Á. Mañas Rodríguez.*

¿POR QUÉ VÍCTIMA ES FEMENINO Y AGRESOR MASCULINO?, *E. Echeburúa Odriozola y S. Redondo Illescas.*

PROCEDIMIENTOS TERAPÉUTICOS EN NIÑOS Y ADOLESCENTES, *J. M. Ortigosa Quiles, F. X. Méndez Carrillo y A. Riquelme Marín.*

PROGRAMA PARA EL CONTROL DEL ESTRÉS, *M.ª I. Peralta Ramírez y H. Robles Ortega.*

PROGRAMA PARA MEJORAR EL SENTIDO DEL HUMOR, *B. García Larrauri.*

¿QUÉ ES EL ANSIA POR LA COMIDA?, *S. Moreno Domínguez, S. Rodríguez Ruíz y M.ª del C. Fernández-Santaella.*

¿QUÉ ES EL PARKINSON?, *M.ª J. Fiuza Asorey y J. M. Mayán Santos.*

LA REGULACIÓN DE LAS EMOCIONES, *J. M. Mestre Navas.*

SER GORDO, SENTIRSE GORDO, *I. Amigo Vázquez.*

SER PADRES, ACTUAR COMO PADRES, *J. Olivares Rodríguez, A. I. Rosa Alcázar y Olivares Olivares.*

SITUACIONES DIFÍCILES EN TERAPIA. *F. J. Labrador Encinas.*

SOY ESTUDIANTE, *J. Gallego Codes.*

SUPERAR UN TRAUMA, *E. Echeburúa Odriozola.*

EL TDAH, *R. Lavigne Cerván y J. F. Romero Pérez.*

TÓCAME OTRA VEZ, *M. Costa Cabanillas y E. López Méndez.*

EL TRASTORNO OBSESIVO-COMPULSIVO, *A. Gavino.*

TRASTORNOS ALIMENTARIOS, *M.ª Calado Otero.*

TRATAMIENTO DEL TOC EN NIÑOS Y ADOLESCENTES, *A. Gavino, R. Nogueira y A. Godoy.*

www.edicionespiramide.es